Funded by the EU-China Managers Exchange and Training Programme
中国—欧盟经理人交流培训项目资助

Winning in China
— Business Chinese

赢在中国
提高篇 Intermediate

——商务汉语系列教程

- 编委会主任　王正富
- 编委会委员　曹红月 王福明 韩维春 季　瑾 李英海
- 主编　季　瑾
- 编者　季　瑾 余　瑛 潘景景 崔艳蕾 窦小力 吴　旋
- 译者　杨玉功

北京语言大学出版社
BEIJING LANGUAGE AND CULTURE UNIVERSITY PRESS

图书在版编目(CIP)数据

赢在中国：商务汉语系列教程. 提高篇 / 季瑾主编. —北京：北京语言大学出版社，2010.12（2014.6 重印）
ISBN 978-7-5619-2954-4

Ⅰ.①赢… Ⅱ.①季… Ⅲ.①商务—汉语—对外汉语教学—教材 Ⅳ.①H195.4

中国版本图书馆 CIP 数据核字（2010）第 254442 号

封面图片来源：gettyimages

书　　名：赢在中国——商务汉语系列教程 · 提高篇
责任印制：汪学发

出版发行：北京语言大学出版社
社　　址：北京市海淀区学院路 15 号　　邮政编码：100083
网　　址：www.blcup.com
电　　话：发行部　82303650/3591/3651
　　　　　编辑部　82303647
　　　　　读者服务部　82303653
　　　　　网上订购电话　82303908
　　　　　客户服务信箱　service@blcup.com
印　　刷：北京联兴盛业印刷股份有限公司
经　　销：全国新华书店

版　　次：2011 年 1 月第 1 版　2014 年 6 月第 2 次印刷
开　　本：889 毫米×1194 毫米　1/16　印张：18.5
字　　数：362 千字
书　　号：ISBN 978-7-5619-2954-4/H·10340
定　　价：58.00 元

目 录
CONTENTS

第六单元 UNIT 6 面试（一） An interview (1)

编写说明
Preface

《赢在中国——商务汉语系列教程》(提高篇) 共9个单元，每个单元包括课文、生词、注释和练习等几个部分，书后有生词总表。

(1) 课文

课文以几位海外商务人士参与商务活动为主线，尽可能展示真实的社会生活场景。课文以情景对话的形式来传达社会生活信息及商务知识。

(2) 生词

本册教材有700多个生词，每个词语均配有拼音和英文翻译。

(3) 注释

本教材的注释是综合性的，按照课文中所学难点出现的顺序来标注，注释包括语法、习惯用法、文化常识、商务常识等内容。

(4) 练习

练习包括机械操练、结构功能训练和商务交际训练三部分。练习类型各课基本一致，题型基本固定，前后练习统一，体现出训练的系统性。有时根据语言点的不同，题型略有差别。

每一课练习的前四项均为生词及课文朗读，目的在于通过语音上的机械性强化，既解决学习者的语音问题，又帮助学习者在语音累积中获得语感。

结构功能训练是为学习者熟悉、掌握教材中的汉语词汇和句型而设计的。此部分练习不追求难度，如“替换练习”重在拓宽学习者的词汇视野、增加他们的语用信息，所以将示范的句型拆分开来，并列举出其他的使用情况，降低了难度。

练习的重点是商务交际训练，这主要体现在“完成任务”的练习中。我们设计了任务目标，既让学习者学以致用，调动自身已积累的语言能力来实战演练，也让学习者在“做中学”，培养学生在真实交际环境中的商务汉语交际能力，实现教学任务和现实世界社会经济生活的结合。

(5) 教学建议

建议用8～10课时完成一个单元的教学。本教材信息量大，内容分布广，练习设计具有一定的弹性，在教学过程中，可根据学习者的实际水平和教学安排灵活掌握。在教学内容方面，各单元专题式的课文是相对独立的，教学者可以根据学习周期的长短和学生的兴趣灵活选用。在练习方面，结构功能训练中的“用下面的词语组成句子”可以只要求学生口头完成以降低难度，“完成任务”的训练中，任务的要求可以富于弹性。对于水平高的学习者，可以让他们多完成一些任务，要求更多一些；而对水平相对低一些的学习者，则可以降低要求，少完成一些任务或者将任务简化。

另外，建议学习者充分利用随书附赠的录音光盘，每次学习后至少能够听一遍，有时间再看着书听一遍、跟读一遍。最好每天听一遍课文录音、读一遍课文，每周至少能够听两次录音。以听带说，以听带读，这样可以帮助学习者强化学习效果，培养语感，从而综合提升听说的能力。

教材中如有任何不当之处，敬请读者予以指正，以便进一步修订。

对外经济贸易大学　季瑾

2010年9月于惠园

词类简称表
Abbreviations of parts of speech

缩写 Abbreviations	英文全称 Parts of speech in English	词类名称 Parts of speech in Chinese	拼音 Parts of speech in *pinyin*
Adj	Adjective	形容词	xíngróngcí
Adv	Adverb	副词	fùcí
AP	Aspect Particle	动态助词	dòngtài zhùcí
Conj	Conjunction	连词	liáncí
IE	Idiomatic Expression	习惯用语	xíguàn yòngyǔ
Int	Interjection	叹词	tàncí
LN	Locality Noun	方位词	fāngwèicí
M	Measure Word	量词	liàngcí
MdPt	Modal Particle	语气助词	yǔqì zhùcí
N	Noun	名词	míngcí
Nu	Numeral	数词	shùcí
Ono	Onomatopoeia	象声词	xiàngshēngcí
OpV	Optative Verb	能愿动词	néngyuàn dòngcí
PN	Proper Noun	专有名词	zhuānyǒu míngcí
Pr	Pronoun	代词	dàicí
Pref	Prefix	词头	cítóu
Prep	Preposition	介词	jiècí
Pt	Particle	助词	zhùcí
PW	Place Word	地点词	dìdiǎncí
Q	Quantifier	数量词	shùliàngcí
QPr	Question Pronoun	疑问代词	yíwèn dàicí
QPt	Question Particle	疑问助词	yíwèn zhùcí
StPt	Structural Particle	结构助词	jiégòu zhùcí
Suf	Suffix	词尾	cíwěi
TW	Time Word	时间词	shíjiāncí
V	Verb	动词	dòngcí
V//O	Verb-object Compound	离合词	líhécí

语法术语简称表
Abbreviations of grammatical terms

缩写 Abbreviations	英文全称 Grammatical terms in English	语法术语 Grammatical terms in Chinese	拼音 Grammatical terms in *pinyin*
S	Subject	主语	zhǔyǔ
P	Predicate	谓语	wèiyǔ
O	Object	宾语	bīnyǔ
Attr	Attribute	定语	dìngyǔ
A	Adverbial	状语	zhuàngyǔ
Comp	Complement	补语	bǔyǔ
NP	Noun Phrase	名词短语	míngcí duǎnyǔ
VP	Verbal Phrase	动词短语	dòngcí duǎnyǔ
PP	Prepositional Phrase	介词短语	jiècí duǎnyǔ
V O	Verb-object Phrase	动宾短语	dòng-bīn duǎnyǔ
	Declarative Sentence	陈述句	chénshùjù
	Interrogative Sentence	疑问句	yíwènjù
	Affirmative Sentence	肯定句	kěndìngjù
	Negative Sentence	否定句	fǒudìngjù
	General Interrogative Sentence	一般疑问句	yìbān yíwènjù
	Special Interrogative Sentence	特殊疑问句	tèshū yíwènjù
	Yes-or-no Question	是非疑问句	shìfēi yíwènjù
	Affirmative and Negative Question	正反疑问句	zhèngfǎn yíwènjù

主要人物介绍
Introduction to the main characters

Kǎ'ěr
卡尔
Karl Hofmann

Kāng Àilì
康爱丽
Alice Clement

Lǐ Míngming
李明明
Li Mingming

Zhāng Yuǎn
张远
Zhang Yuan

卡　尔——男，德国人，欧盟经理人；
康爱丽——女，法国人，欧盟经理人；
李明明——女，中国人，对外经济贸易大学国贸专业本科三年级学生；
张　远——男，中国人，对外经济贸易大学MBA二年级学生。

康爱丽、卡尔都是来北京接受汉语培训的欧盟经理人，李明明和张远是他们在对外经济贸易大学认识的朋友。

Ka'er—Karl Hofmann, male, a German manager from the European Union;
Kang Aili—Alice Clement, female, a French manager from the European Union;
Li Mingming—female, a Chinese junior majoring in International Trade at the University of International Business and Economics;
Zhang Yuan—male, a Chinese MBA sophomore at the University of International Business and Economics.

Both Ka'er (Karl) and Kang Aili (Alice) are managers from the European Union who came to Beijing for the training of Chinese language. Li Mingming and Zhang Yuan are their friends at the University of International Business and Economics.

第一单元
UNIT 1

参观工厂
Visiting a factory

课文 Text	题目 Title	注释 Notes
一	我希望能参观一下贵厂 I hope I can visit your factory	1. 句型:“很高兴……” The sentence pattern “很高兴……” 2. 动词 “走” The verb “走” 3. 形容词谓语句（复习） The sentence with an adjectival predicate (Review) 4. 动词 “来” The verb “来” 5. 连词 “首先” The conjunction “首先” 6. 介词 “为”(复习) The preposition “为” (Review) 7. 人称代词 “诸位” The personal pronoun “诸位” 8. 助词 “的话”(复习) The particle “的话” (Review) 9. “(既然) ……就……” 10. 动量词 “趟” The verbal measure word “趟”
二	你们的产品真不少 You have so many products	1. 介词 “由”(复习) The preposition “由” (Review) 2. 介词 “为了” The preposition “为了” 3. 无标记被动句 The unmarked passive sentence 4. 趋向动词 “出来” The directional verb “出来” 5. 副词 “毕竟” The adverb “毕竟” 6. 介词 “通过”(复习) The preposition “通过” (Review)

Wǒ Xīwàng Néng Cānguān Yíxià Guì Chǎng

我希望能参观一下贵厂

课文一 Text 1 I hope I can visit your factory

法国圣兰服装公司中国分公司总经理康爱丽和秘书小钱到天津经济技术开发区的华美服装加工厂参观考察。厂长秘书小刘带他们来到会议室，厂长沈兴和销售经理赵伟等人正在会议室等候。

● 沈厂长：康总经理，您好！欢迎您到我们厂来参观考察！ kǎo chá inspect

（厂长秘书小刘向康爱丽介绍。）

○ 刘秘书：这是我们沈兴沈厂长。

● 康爱丽：沈厂长，您好！很高兴能到贵厂来参观。

○ 沈厂长：欢迎欢迎！两位路上还顺利吧？

● 康爱丽：很顺利，走京津高速很方便。

○ 沈厂长：我来介绍一下，这是我们厂的销售经理赵伟。

● 康爱丽：赵经理，您好！很高兴认识您！

○ 赵经理：欢迎康总！

（大家握手并交换名片后入座。）

● 沈厂长：首先，我代表华美服装加工厂再次欢迎康总和钱秘书来我们厂参观考察。

○ 赵经理：下面，我为诸位放映 10 分钟的多媒体简介。

（赵经理介绍了华美服装加工厂的有关情况。）

● 沈厂长：康总，这些就是我们加工厂的简单介绍。您还有什么疑问吗？

○ 康爱丽：没有。你们介绍得很全面。如果可以的话，我希望能参观一下贵厂。

● 沈厂长：好的。我们陪您在厂里四处看看。

○ 康爱丽：谢谢！

● 沈厂长：参观完了，咱们再回来谈谈合作的细节，怎么样？

○ 康爱丽：好啊，到了您这儿，就听您的安排吧。

● 沈厂长：那咱们走吧。希望您觉得这趟参观有收获。

※ • ※

Fǎguó Shènglán Fúzhuāng Gōngsī Zhōngguó fēngōngsī zǒngjīnglǐ Kāng Àilì hé mìshū Xiǎo Qián dào Tiānjīn Jīngjì Jìshù Kāifāqū de Huáměi Fúzhuāng Jiāgōngchǎng cānguān kǎochá. Chǎngzhǎng mìshū Xiǎo Liú dài tāmen láidào huìyìshì. Chǎngzhǎng Shěn Xīng hé xiāoshòu jīnglǐ Zhào Wěi děng rén zhèngzài huìyìshì děnghòu.

● Shěn chǎngzhǎng: Kāng zǒngjīnglǐ, nín hǎo! Huānyíng nín dào wǒmen chǎng lái cānguān kǎochá!

(Chǎngzhǎng mìshū Xiǎo Liú xiàng Kāng Àilì jièshào.)

○ Liú mìshū: Zhè shì wǒmen Shěn Xīng Shěn chǎngzhǎng.

● Kāng Àilì: Shěn chǎngzhǎng, nín hǎo! Hěn gāoxìng néng dào guì chǎng lái cānguān.

○ Shěn chǎngzhǎng: Huānyíng huānyíng! Liǎng wèi lù shang hái shùnlì ba?

● Kāng Àilì: Hěn shùnlì, zǒu Jīng-Jīn Gāosù hěn fāngbiàn.

○ Shěn chǎngzhǎng: Wǒ lái jièshào yíxià, zhè shì wǒmen chǎng de xiāoshòu jīnglǐ Zhào Wěi.

● Kāng Àilì: Zhào jīnglǐ, nín hǎo! Hěn gāoxìng rènshi nín!

○ Zhào jīnglǐ: Huānyíng Kāng zǒng!

(Dàjiā wòshǒu bìng jiāohuàn míngpiàn hòu rùzuò.)

● Shěn chǎngzhǎng: Shǒuxiān, wǒ dàibiǎo Huáměi Fúzhuāng Jiāgōngchǎng zài cì huānyíng Kāng zǒng hé Qián mìshū lái wǒmen chǎng cānguān kǎochá.

○ Zhào jīnglǐ: Xiàmiàn, wǒ wèi zhūwèi fàngyìng shí fēnzhōng de duōméitǐ jiǎnjiè.

(Zhào jīnglǐ jièshàole Huáměi Fúzhuāng Jiāgōngchǎng de yǒuguān qíngkuàng.)

● Shěn chǎngzhǎng: Kāng zǒng, zhèxiē jiù shì wǒmen jiāgōngchǎng de jiǎndān jièshào. Nín hái yǒu shénme yíwèn ma?

○ Kāng Àilì: Méiyǒu. Nǐmen jièshào de hěn quánmiàn. Rúguǒ kěyǐ dehuà, wǒ xīwàng néng cānguān yíxià guì chǎng.

● Shěn chǎngzhǎng: Hǎo de. Wǒmen péi nín zài chǎng li sì chù kànkan.

○ Kāng Àilì: Xièxie!

● Shěn chǎngzhǎng: Cānguān wán le, zánmen zài huílai tántan hézuò de xìjié, zěnmeyàng?

○ Kāng Àilì: Hǎo a, dàole nín zhèr, jiù tīng nín de ānpái ba.

● Shěn chǎngzhǎng: Nà zánmen zǒu ba. Xīwàng nín juéde zhè tàng cānguān yǒu shōuhuò.

※・※

Alice Clement, the general manager of France Shenglan Garment (China) Co. Ltd., and her secretary Xiao Qian are coming to visit Huamei Garment Processing Factory in Tianjin Economic and Technological Development Zone. Xiao Liu, the secretary of the director of the factory, is escorting them to the conference room where Mr. Shen Xing, the director of the factory, and Mr. Zhao Wei, the sales manager, are waiting.

● Shen: Hello, Ms. Clement! Welcome to our factory!

(Xiao Liu introduces Shen Xing to Alice Clement.)

○ Liu: This is Mr. Shen Xing, the director of our factory.

● Alice: Hello, Mr. Shen! I'm pleased to be here to visit your factory.

○ Shen: You're most welcome! Did you have a good trip?

● Alice: Yes, indeed. It's very convenient to take the Beijing-Tianjin Expressway.

○ Shen: Let me introduce. This is Mr. Zhao Wei, the sales manager of our factory.

● Alice: Hi, Mr. Zhao. Nice to meet you!

○ Zhao: Glad to see you, Ms. Clement!

(They shake hands, exchange business cards and take the seats.)

● Shen: First of all, on behalf of Huamei Garment Processing Factory, I hereby express our warm welcome once again to your visit here.

○ Zhao: Next, I'd like to give you a ten-minute multimedia introduction.

(Mr. Zhao introduces relevant information on Huamei Garment Processing Factory.)

● Shen: Ms. Clement, this is a brief introduction to our factory. Do you have any questions?

○ Alice: Not for now. Your introduction is very comprehensive. If posssible, I hope I can visit your factory.

● Shen: OK. We'll show you around the factory.

○ Alice: Thanks!

● Shen: Shall we talk about the details of our cooperation after your visit?

○ Alice: All right. Since we are here, we'll do as what you say.

● Shen: Then let's go. I wish you a fruitful visit.

生词 Shēngcí New Words

1. 厂	chǎng	N	factory
2. 厂长	chǎngzhǎng	N	factory director
3. 顺利	shùnlì	Adj	smooth, without a hitch
4. 介绍	jièshào	V	to introduce
5. 销售	xiāoshòu	V	to sell
6. 首先	shǒuxiān	Conj	firstly, first of all
7. 代表	dàibiǎo	V	to represent, on behalf of
8. 下面	xiàmiàn	N	next
9. 为	wèi	Prep	for
10. 诸位	zhūwèi	Pr	everyone
11. 放映	fàngyìng	V	to show (a film, etc.)
12. 多媒体	duōméitǐ	N	multimedia
13. 简介	jiǎnjiè	N	brief introduction
14. 这些	zhèxiē	Pr	these
15. 简单	jiǎndān	Adj	simple, not complicated
16. 疑问	yíwèn	N	query, question
17. 全面	quánmiàn	Adj	overall, comprehensive
18. 陪	péi	V	to accompany
19. 四处	sìchù	N	all around
20. 趟	tàng	M	*a measure word for actions*
21. 收获	shōuhuò	N	gain

专有名词 Zhuānyǒu Míngcí Proper Nouns

1. 法国圣兰服装公司	Fǎguó Shènglán Fúzhuāng Gōngsī	France Shenglan Garment Co. Ltd.

2. 天津	Tiānjīn	Tianjin, a metropolis in North China and close to Beijing
3. 天津经济技术开发区	Tiānjīn Jīngjì Jìshù Kāifāqū	Tianjin Economic and Technological Development Zone
4. 华美服装加工厂	Huáměi Fúzhuāng Jiāgōngchǎng	Huamei Garment Processing Factory
5. 沈兴	Shěn Xīng	name of a Chinese person
6. 赵伟	Zhào Wěi	name of a Chinese person
7. 京津高速	Jīng-Jīn Gāosù	Beijing-Tianjin Expressway

注释 Zhùshì Notes

1 很高兴能到贵厂来参观。/ 很高兴认识您！
I'm pleased to be here to visit your factory. / Nice to meet you!

"很高兴 + 做某事"，常用句型，表示带着愉快的心情去做某事。也可以用"做某事 + 很高兴"。"高兴"，形容词，"愉快而兴奋"的意思。例如：

"很高兴 + do something" is a common sentence pattern, meaning it is a pleasure to do something and equal to "do something + 很高兴". "高兴" is an adjective, meaning "pleased and excited". For example,

① 很高兴认识你。/ 认识你很高兴。
② 很高兴收到你的邮件。/ 收到你的邮件，我很高兴。
③ 非常高兴见到你。/ 见到你非常高兴。
④ 很高兴能到贵厂来参观。/ 能到贵厂来参观，我很高兴。

2 走京津高速很方便。It's very convenient to take the Beijing-Tianjin Expressway.

"走"，动词，这里是指车、船等的移动、运行。例如：

"走" is a verb used to indicate the movement of a car or ship. For example,

① 我的表不走了。

② 这条船走了一个小时。

“走京津高速”是指康爱丽她们坐的车行驶的是京津高速这条路。也可以说“走长安街（Cháng'ān Jiē）、走二环路（èr huánlù）、走这条路、走国道（guódào）、走省道（shěngdào）”等。

“走京津高速” means they take the Beijing-Tianjin Expressway. You may also say “走长安街”, “走二环路”, “走这条路”, “走国道”, “走省道”, etc.

3 走京津高速很方便。It's very convenient to take the Beijing-Tianjin Expressway.

形容词谓语句。汉语中的形容词可以直接作谓语，前面不用加“是”或其他动词。本句中，动宾短语“走京津高速”作主语，形容词“方便”作谓语。注意：形容词作谓语时，前面常用表示程度的副词，如“很”。例如：

It's a sentence with an adjectival predicate. In Chinese, an adjective can be used as a predicate without being preceded by “是” or other verbs. The verb-object phrase “走京津高速” is used as the subject and the adjective “方便” is used as the predicate in this sentence. Note: When an adjective is used as a predicate, it is often preceded by an adverb of degree, like “很”. For example,

① 爬到山顶（shāndǐng, mountaintop, peak）很累。

② 说汉语不太难，可是写汉字很难。

③ 运动完了，洗个澡很舒服。

4 我来介绍一下，…… Let me introduce.

“来”，动词，这里用在另一个动词或动词短语前，表示要做某件事。在这类句子中，“来”可以省略，但“来”后的动词不能带“了、着、过”，不能重叠。例如：

“来” is a verb used before another verb or a verbal phrase, meaning “be going to do something”. In such a sentence, “来” can be omitted; however, the verb after “来” cannot be followed by “了”, “着”, “过” or be reduplicated. For example,

① 请你来回答这个问题。

② 你们坐吧，我来泡茶。

③ 我们来商量一下周末去哪儿玩儿。

5 首先，我代表华美服装加工厂再次欢迎康总和钱秘书来我们厂参观考察。
First of all, on behalf of Huamei Garment Processing Factory, I hereby express our warm welcome once again to your visit here.

“首先”，连词，表示“第一”的意思，常用于列举事项。“首先”用在句子的开头或主语前，后面常有“其次、第二、然后”等词语搭配。例如：

“首先” is a conjunction, meaning “first”, usually used to list things. It is often used at the beginning of a sentence or before a subject and followed by words such as “其次”, “第二”, “然后”. For example,

① 首先，是总经理发言；然后，是销售部经理发言。

② 首先，我不知道有多少人参加（cānjiā, to attend）；其次，我不知道谁参加。

③ 他首先是个学者（xuézhě, scholar），其次是个商人（shāngrén, businessman）。

6 我为诸位放映 10 分钟的多媒体简介。

I'd like to give you a ten-minute multimedia introduction.

“为”，介词，引进行为的对象或动作的受益者，“替、给”的意思。例如：

“为” is a preposition meaning “for” and it introduces the receiver or beneficiary of an action. For example,

Harbin
Sanya
Nanjing
xinjiang

① 我会安排球童为您服务的。

② 他为明明订了生日蛋糕。

③ 您不用为我担心（dān xīn, to worry）。

7 我为诸位放映 10 分钟的多媒体简介。

I'd like to give you a ten-minute multimedia introduction.

“诸位”，人称代词，对所指的若干人的尊称。可以单用，后面也可以加称呼。例如：

“诸位”, a personal pronoun, is a respectful form of address to the people referred. It may be used alone or followed by a title. For example,

① 诸位朋友如果有什么意见（yìjiàn, opinion, suggestion），请提出来（chūlai, *used after a verb to indicate the completion or realization of an action*）。

② 诸位老师，我们今天的会就开到这儿。

③ 诸位，请放心！我们一定会尽快（jǐnkuài, as soon as possible）解决（jiějué, to solve）这个问题的。

8 如果可以的话，我希望能参观一下贵厂。If possible, I hope I can visit your factory.

“的话”，助词，用在表示假设的分句的后面，引起下文。常常和表示假设的连词“如果、要是、假如”连用，第二个分句中常有“那么、那、就”等呼应。分句“如果 + 动宾短语 / 小句 + 的话”可以用在前，也可以用在后。“如果”等词可以省略。例如：

“的话” is a particle used after a hypothetical clause to introduce the following text. It is often used with a hypothetical conjunction such as “如果”, “要是” or “假如” and corresponds with a word such as “那么”, “那” or “就” in the second clause. The clause “如果+ verbal phrase/clause +的话” can be used before or after the main clause. “如果” may be omitted. For example,

①（如果）你有问题的话，可以来找我。

②（要是）明天你能来的话，那就太好了。

③（假如）他不是厂长的话，那么谁是厂长？

④我想先去一趟上海，（如果）来得及的话。

⑤他今天应该到了，（要是）昨天出发的话。

9 到了您这儿，就听您的安排吧。Since we are here, we'll do as what you say.

"（既然）……就……"，推断因果关系的复句，重点在后一句的推断。"既然"引导的分句表示原因，是双方已知的信息。"就"用在表示推断的后一分句中。"既然"一般不能单用。后一分句有"就"的时候，前一分句的"既然"可以省略。后一分句的前面有时还可以带"那"。"既然"，连词，用在前一小句中，提出已经成为现实的或已经肯定的前提。"就"，副词，表示在某种情况或条件下自然怎么样，承接上文得出结论。例如：

"（既然）……就……" is a compound sentence denoting a cause-and-effect relationship, emphasizing the inference in the second clause. The clause introduced by "既然" indicates the cause and refers to the information known to both parties. "就" is used in the second clause indicating the inference. In general, "既然" cannot be used alone. When "就" appears in the second clause, "既然" in the first clause can be omitted. Sometimes, "那" can be used before the second clause. "既然" is a conjunction used in the first clause to put forward a prerequisite that has been realized. "就" is used as an adverb to indicate how something is under a certain situation or condition, thus drawing a conclusion from the previous statement. For example,

①（既然）他想去，就让他去吧。

②您（既然）是负责人，就由（yóu, by）您决定（juédìng, to decide）吧。

③（既然）大家都想去香山，那我们就去香山吧。

④（既然）他不愿意去上海，那就算了。

10 希望您觉得这趟参观有收获。 I wish you a fruitful visit.

"趟"，量词，表示走动的次数，一去一回为一趟。"趟"是表示动作或变化次数的量词，属于动量词。例如：

"趟" is a measure word, indicating the number of trips. One "趟" is a round trip to and fro in a place. It is a measure word indicating the times of an action or a change and is a verbal measure word. For example,

①他这个月去了天津三趟。

②你一会儿去趟超市，买点儿东西。

③我们这趟来是给你帮忙的。

Nǐmen de Chǎnpǐn Zhēn Bù Shǎo

你们的产品真不少

课文二 Text 2

You have so many products

沈厂长、赵经理和刘秘书陪同康爱丽和小钱参观服装生产线。他们来到车间。

● 沈厂长：康总请看，这是运动装生产线。

○ 康爱丽：你们在为哪儿的客户加工运动装呢？

● 赵经理：巴西的。

○ 康爱丽：是来料加工吗？

● 沈厂长：不是，这笔订单是我们包工包料的。

○ 康爱丽：是贵厂设计的吗？

● 沈厂长：设计样式一般由客户提供，我们厂主要负责加工。

（他们来到西装生产线。）

○ 沈厂长：这是西装生产线，我们正在为一个希腊客户加工高级西装。

- 赵经理：这笔订单是来料加工的。
- 康爱丽：这条生产线很新哪！
- 沈厂长：康总真是内行。这是我们厂为了提高西装的生产质量和效率，今年年初刚从德国购买的。
- 赵经理：这些是目前世界上最先进的服装生产设备。
- 康爱丽：这批西装有成品吗？
- 沈厂长：这批服装的工艺比较复杂，成品还没有生产出来。
- 赵经理：产品展示室有很多我们以前生产的样品，咱们去那儿看看吧。

（他们来到产品展示室。）

- 康爱丽：哦，你们的产品真不少！
- 沈厂长：是啊，毕竟我们从事服装加工业已经十多年了。

（康爱丽和小钱仔细看了各种样品。）

- 康爱丽：贵厂生产的产品质量还不错。
- 赵经理：是啊，我们的设备很先进，工人们的生产经验也很丰富，所以我们的产品都能达到客户的质量要求。
- 康爱丽：通过各位的介绍和实地参观，我们觉得贵厂具备了一定的实力。我们谈谈合作的事儿吧。
- 沈厂长：好的，那咱们回会议室吧。

※・※

Shěn chǎngzhǎng、Zhào jīnglǐ hé Liú mìshū péitóng Kāng Àilì hé Xiǎo Qián cānguān fúzhuāng shēngchǎnxiàn. Tāmen láidào chējiān.

- Shěn chǎngzhǎng: Kāng zǒng qǐng kàn，zhè shì yùndòngzhuāng shēngchǎnxiàn.
- Kāng Àilì: Nǐmen zài wèi nǎr de kèhù jiāgōng yùndòngzhuāng ne?

● Zhào jīnglǐ: Bāxī de.

○ Kāng Àilì: Shì láiliào jiāgōng ma?

● Shěn chǎngzhǎng: Bú shì，zhè bǐ dìngdān shì wǒmen bāogōng bāoliào de.

○ Kāng Àilì: Shì guì chǎng shèjì de ma?

● Shěn chǎngzhǎng: Shèjì yàngshì yìbān yóu kèhù tígōng，wǒmen chǎng zhǔyào fùzé jiāgōng.

(Tāmen láidào xīzhuāng shēngchǎnxiàn.)

○ Shěn chǎngzhǎng: Zhè shì xīzhuāng shēngchǎnxiàn，wǒmen zhèngzài wèi yí ge Xīlà kèhù jiāgōng gāojí xīzhuāng.

● Zhào jīnglǐ: Zhè bǐ dìngdān shì láiliào jiāgōng de.

○ Kāng Àilì: Zhè tiáo shēngchǎnxiàn hěn xīn na!

● Shěn chǎngzhǎng: Kāng zǒng zhēn shì nèiháng. Zhè shì wǒmen chǎng wèile tígāo xīzhuāng de shēngchǎn zhìliàng hé xiàolǜ，jīnnián niánchū gāng cóng Déguó gòumǎi de.

○ Zhào jīnglǐ: Zhèxiē shì mùqián shìjiè shang zuì xiānjìn de fúzhuāng shēngchǎn shèbèi.

● Kāng Àilì: Zhè pī xīzhuāng yǒu chéngpǐn ma?

○ Shěn chǎngzhǎng: Zhè pī fúzhuāng de gōngyì bǐjiào fùzá，chéngpǐn hái méiyǒu shēngchǎn chūlai.

● Zhào jīnglǐ: Chǎnpǐn zhǎnshìshì yǒu hěn duō wǒmen yǐqián shēngchǎn de yàngpǐn，zánmen qù nàr kànkan ba.

(Tāmen láidào chǎnpǐn zhǎnshìshì.)

○ Kāng Àilì: Ò，nǐmen de chǎnpǐn zhēn bù shǎo!

● Shěn chǎngzhǎng: Shì a，bìjìng wǒmen cóngshì fúzhuāng jiāgōngyè yǐjīng shí duō nián le.

(Kāng Àilì hé Xiǎo Qián zǐxì kànle gè zhǒng yàngpǐn.)

○ Kāng Àilì: Guì chǎng shēngchǎn de chǎnpǐn zhìliàng hái búcuò.

● Zhào jīnglǐ: Shì a，wǒmen de shèbèi hěn xiānjìn，gōngrénmen de shēngchǎn jīngyàn yě hěn fēngfù，suǒyǐ wǒmen de chǎnpǐn dōu néng dádào kèhù de zhìliàng yāoqiú.

○ Kāng Àilì: Tōngguò gè wèi de jièshào hé shídì cānguān，wǒmen juéde guì chǎng jùbèile yídìng de shílì. Wǒmen tántan hézuò de shìr ba.

● Shěn chǎngzhǎng: Hǎo de，nà zánmen huí huìyìshì ba.

※ • ※

Mr. Shen the director of the factory, Mr. Zhao the manager and Xiao Liu the secretary are accompanying Alice Clement on her visit to the garment production line. They are coming to the workshop.

● Shen: Ms. Clement, this is our sportswear production line.

○ Alice: Which customers are you processing these sportswear for?

● Zhao: The customers in Brazil.

○ Alice: Is it processing them with supplied materials?

● Shen: No, it is a contract for labor and materials for this order.

○ Alice: Do you do the design?

● Shen: The designs are generally provided by our customers and we're responsible for the processing.

(They come to the suit production line.)

○ Shen: This is a suit production line, and we're processing high-end suits for a Greek customer.

● Zhao: And for this order it's a contract of processing with supplied materials.

○ Alice: This is a brand-new production line!

● Shen: You're really an expert. It was just purchased from Germany at the beginning of this year in order to improve the quality and efficiency of our production.

○ Zhao: And this is the most sophisticated garment processing equipment in the world.

● Alice: Are there any finished products for this batch of suits?

○ Shen: Since the processing technique for this batch is rather complex, the finished products haven't been manufactured yet.

● Zhao: There are many samples in our showroom. Let's go and take a look.

(They come to the showroom.)

○ Alice: Oh, you have so many products!

● Shen: Yes. After all we have been engaged in the business of garment processing for more than ten years.

(Alice and Xiao Qian look carefully at a variety of samples.)

○ Alice: The quality of your products is rather good.

● Zhao: Right. The equipment we use is advanced and the workers have rich experience in processing clothing; therefore, our products can perfectly meet the quality requirements of our customers.

○ Alice: Through your introduction and the field trip, I think you've got the necessary strength. Now let's discuss our cooperation.

● Shen: OK, let's go back to the conference room.

生词 Shēngcí New Words

1. 运动装	yùndòngzhuāng	N	sportswear
2. 生产线	shēngchǎnxiàn	N	production line
3. 加工	jiāgōng	V	to process
4. 来料	láiliào	N	supplied material
5. 笔	bǐ	M	*a measure word for business or fund*
6. 包工	bāogōng	V	to undertake a job under a contract
7. 包料	bāoliào	V	to provide material under a contract
8. 设计	shèjì	V / N	to design; design
9. 样式	yàngshì	N	style
10. 提供	tígōng	V	to provide
11. 主要	zhǔyào	Adj	main
12. 负责	fùzé	V	to be responsible for
13. 西装	xīzhuāng	N	(Western style) clothes, suit
14. 高级	gāojí	Adj	high-end, advanced
15. 内行	nèiháng	Adj / N	knowledgeable about or experienced in an issue or certain work; expert
16. 为了	wèile	Prep	in order to, for the purpose of
17. 提高	tígāo	V	to improve
18. 效率	xiàolǜ	N	efficiency
19. 年初	niánchū	N	beginning of the year
20. 刚	gāng	Adv	just

21. 世界	shìjiè	N	world
22. 先进	xiānjìn	Adj	sophisticated or advanced (technology)
23. 设备	shèbèi	N	equipment
24. 批	pī	M	*a measure word for a large amount of goods*
25. 成品	chéngpǐn	N	finished product
26. 工艺	gōngyì	N	technique, technology, craft
27. 复杂	fùzá	Adj	complex
28. 展示室	zhǎnshìshì	N	showroom
29. 样品	yàngpǐn	N	sample
30. 毕竟	bìjìng	Adv	after all
31. 从事	cóngshì	V	to be engaged in
32. 加工业	jiāgōngyè	N	processing industry
33. 经验	jīngyàn	N	experience
34. 丰富	fēngfù	Adj	rich, plentiful
35. 具备	jùbèi	V	to have, to be equipped with
36. 一定	yídìng	Adj	certain
37. 实力	shílì	N	strength
38. 会议室	huìyìshì	N	conference room

专有名词 Zhuānyǒu Míngcí **Proper Nouns**

1. 巴西	Bāxī	Brazil
2. 希腊	Xīlà	Greece

注释 Zhùshì Notes

1 设计样式一般由客户提供。The designs are generally provided by our customers.

"由"，介词，引进施动者。表示受动者的名词可以在句首作主语，也可以在动词后作宾语。例如：

"由" is a preposition introducing the agent of an action. The noun denoting the recipient of an action may be used as a subject at the beginning of a sentence, or as an object after the verb. For example,

① 设计样式一般由客户提供。/ 一般由客户提供设计样式。
② 销售问题由销售部解决。/ 由销售部解决销售问题。
③ 准备工作由我们负责。/ 由我们负责准备工作。

2 这是我们厂为了提高西装的生产质量和效率，今年年初刚从德国购买的。
It was just purchased from Germany at the beginning of this year in order to improve the quality and efficiency of our production.

"为了"，介词，表示目的。"为了"组成的介词结构可以作状语、宾语。作状语时一般放在句首或主语的后边，作宾语多用在"是"字句中。例如：

"为了" is a preposition indicating a purpose. The prepositional structure with "为了" may be used as an adverbial or object. It is generally put at the beginning of a sentence or after a subject when it serves as an adverbial. It is mostly used in a sentence with "是" when it serves as an object. For example,

① 为了能去中国工作，他努力学习汉语。
② 他们为了提高生产质量，加强（jiāqiáng, to enhance）了管理（guǎnlǐ, to manage）。
③ 他来中国是为了工作。

注意：表示原因一般用"因为"，不用"为了"。

Note: "因为" instead of "为了" is usually used to indicate the reason.

3 成品还没有生产出来。The finished products haven't been manufactured yet.

无标记被动句。这一句表示被动的意义，但是不带被动标记（如"被"字）。主语是受事，也称受事主语句。基本结构：受事 + 动词短语。在这类句子中，句首的名词性短语应该是听话人和说话人双方已知的或是定指的。例如：

It's an unmarked passive sentence, indicating the notional passiveness without a passive voice marker (such as "被"). The subject is the recipient; therefore, a sentence of this type is also known as the sentence with a recipient-as-the-subject sentence. The basic pattern is "recipient+verbal phrase". In such a sentence, the noun phrase at the beginning of a sentence should be known to both the speaker and the listener or designated. For example,

① 样品已经寄（jì, to send）出去了。
② 衣服已经卖了。
③ 这份作业没改过。

4 成品还没有生产出来。The finished products haven't been manufactured yet.

"出来"，趋向动词，这里用在动词后作补语，表示动作的完成或实现。在这类被动句中，放在句首的受事也可以作为动词的宾语放在"出"和"来"之间。例如：

"出来" is a directional verb used after a verb as a complement to indicate the completion or realization of an action. In such a passive sentence, the recipient at the beginning may also be put between "出" and "来" as an object of the verb. For example,

① 成品还没有生产出来。/ 还没有生产出成品来。
② 解决办法已经研究出来了。/ 已经研究出解决办法来了。
③ 主意想出来了吗？/ 想出主意来了吗？

5 毕竟我们从事服装加工业已经十多年了。
After all we have been engaged in the business of garment processing for more than ten years.

"毕竟"，副词，作状语，修饰动词、形容词，表示追根究底得出的结论，强调事实或原因。不能用在问句中，也不能用在有疑问代词的陈述句中。例如：

"毕竟" is an adverb used as an adverbial modifying a verb or an adjective. It indicates a conclusion after thorough consideration and stresses some fact or reason. It cannot be used in a question or declarative sentence with an interrogative pronoun. For example,

① 这毕竟是个小问题，咱们不要再讨论了。
② 他虽然迟到了，毕竟还是来了。
③ 我们的礼物毕竟不多，所以不能每个人都送。

6 通过各位的介绍和实地参观，我们觉得贵厂具备了一定的实力。
Through your introduction and the field trip, I think you've got the necessary strength.

"通过"，介词，表示用人或事物作为媒介或手段，从而达到某种目的。"通过"后跟名词、名词短语组成介词结构，可以用在主语前。例如：

"通过" is a preposition meaning to achieve a purpose by using somebody or something. "通过" forms a prepositional structure with the following noun or noun phrase and may be used before the subject. For example,

① 通过老王，我了解（liǎojiě, to know）了很多情况（qíngkuàng, circumstance, information）。

② 通过学习，他的汉语水平越来越高。

③ 通过卡尔的介绍，我认识了他。

练习 Liànxí Exercises

一 跟读生词，注意发音和声调。
Read the new words after the teacher and pay attention to your pronunciation and tones.

二 跟读课文，注意语音语调。
Read the texts after the teacher and pay attention to your pronunciation and intonation.

三 学生分组，分角色朗读课文一、二。
Divide the students into groups and read Texts 1 & 2 in roles.

四 学生分组，不看书，分角色表演课文一、二。
Divide the students into groups and play the roles in Texts 1 & 2 without referring to the book.

五 角色扮演。（提示：角色可以互换。）
Role playing. (Note: the roles can be exchanged.)

两人一组，一人扮演某服装加工厂的销售经理，另一人扮演来这家工厂参观考察的人。请用课文里学过的词语和句子完成下面的对话。

Students work in pairs. Suppose one is the sales manager of a garment processing factory, another one is a visitor to the factory. Please finish the following dialogues with the words and sentences learned in the text.

（1）参观前的接待和交流。Exchanging greetings before the visit.

（2）参观服装生产线和样品展示室。
Visiting the garment production line and the sample showroom.

六 复述课文一和课文二。
Retell Texts 1 & 2.

七 替换练习。
Substitution drills.

1 很高兴 能到贵厂来参观。

认识你
收到你的邮件
能有机会来中国学习汉语
能和你们合作

2 走 京津高速 很方便。

高速	最快
国道	比较慢
这条路	最节约时间
二环路	不堵车

3 我 来 介绍一下。

今天你	下厨（xià chú, to cook）
我	说一说
我们	准备准备吧
你们	考察一下吧

4 我 为 诸位 放映10分钟的多媒体简介。

他	这家公司	工作
老师	学生们	准备了很多资料
我们	大家	安排好了饭店

5 如果 可以 的话， 我希望能参观一下贵厂。

你不来	我们就不聚会了
你头疼	就应该去医院看医生
你想租写字楼	就去蓝天大厦问问吧

6 到了您这儿， 就 听您的安排吧。

他不想去	不要让他去了
你已经租了这个公寓	得付房租
今天我发工资了	让我付钱吧

7 设计样式一般 由 客户 提供。

这个工作	我	负责
销售的问题	销售部	解决
准备工作	他们	来做

8 为了 提高生产质量， 今年年初刚从德国购买了这条生产线。

能去中国工作	他每天都学习汉语
下个星期能出差	他让医生给他输液
能买到最便宜的苹果	他去了三个超市

9 通过 各位的介绍， 我们觉得贵厂具备了一定的实力。

这件事	大家都学到了很多
赵经理	我认识了王总经理
汉语的学习	我越来越了解中国的文化

八 用下面的词语组成句子。
Make sentences with the following words and expressions.

课文一

1 您 我们厂 参观 来 考察 到 欢迎

2 吧 路上 还 两位 顺利

3 赵伟 销售经理 我们厂 是 的 这

4 欢迎 华美服装加工厂 康总 代表 钱秘书 我 和 首先

5 疑问 还 您 什么 吗 有

6 全面 得 介绍 你们 很

7 四处 您 厂里 在 陪 我们 看看

8 觉得 这 有收获 趟 您 参观 希望

课文二

1 客户 运动装 在 哪儿的 加工 为 你们 呢

2 我们 笔 这 是 的 订单 包工 包料

3 生产线 哪 这 条 新 很

4 是 服装生产 的 这些 世界上 先进 最 设备 目前

5 生产 没有 还 成品 出来

6 我们 有 生产 以前 产品展示室 很多 的 样品

7 加工业 十多年 从事 服装 我们 已经 毕竟 了

8 不错 的 质量 贵厂 还 生产 产品

9 丰富 很 生产 工人们 的 经验 也

10 都 要求 我们的 客户的 产品 能 质量 达到

九 阅读理解。
Reading comprehension.

(一)

最近欧洲的经济开始复苏，康爱丽的法国老板让她在中国找一个服装加工厂，生产一批服装。康爱丽的秘书小钱联系了天津经济技术开发区的华美服装加工厂。通过几次电话联系和邮件联系，康爱丽觉得这个加工厂还不错，于是决定和小钱去天津实地考察一下。

生词 Shēngcí New Words

1. 复苏	fùsū	V	to recover
2. 于是	yúshì	Conj	hence, as a result

1. 回答问题：
Answer the questions:

① 为什么康爱丽的法国公司要生产一批服装？

② 华美服装加工厂在哪儿？

③ 康爱丽和加工厂是怎么联系的？

④ 康爱丽觉得这个加工厂怎么样？

2. 朗读这段话。
Read aloud the paragraph above.

(二)

12月10号，康爱丽和小钱自己开车来到天津。从北京去天津可以走京津高速，很快。华美服装加工厂的厂长秘书小刘早就在门口等候了。他带着康爱丽和小钱来到会议室。厂长沈兴热情地接待了康爱丽和小钱。通过看多媒体简介和实地参观，康爱丽发现这个加工厂的管理不错，产品质量也很好。于是，康爱丽决定和沈厂长好好儿谈谈合作的问题。

生词 Shēngcí New Words

1. 开车	kāi chē	V//O	to drive
2. 等候	děnghòu	V	to wait
3. 热情	rèqíng	Adj	warm
4. 发现	fāxiàn	V	to find
5. 好好儿	hǎohāor	Adv	well

1. 回答问题：

   Answer the questions:

   ① 康爱丽和小钱怎么去的天津？开车来到天津

   ② 康爱丽和小钱自己去的会议室吗？自己去

   ③ 康爱丽怎么了解这个厂的？热情

   ④ 康爱丽打算和这个厂合作吗？对的，打算谈谈合作的问题。

2. 朗读这段话。

   Read aloud the paragraph above.

十 完成任务。
Complete the tasks.

1. 口头表达（在下面两个话题中选择一个）：

   Oral expression (Choose one of the following two topics to make a presentation):

   (1) 如果你有工作的经历，请做一个 PPT，向老师和同学简单介绍一下你们公司的情况。

   If you have work experience, please make a PPT to give your teacher and classmates a brief introduction to the company you work for.

   (2) 如果你有参观考察工厂（如服装加工厂）的经历，请向老师和同学简单介绍一下。

   If you visited a factory (for example, a garment processing factory), please talk about your experience to your teacher and classmates.

2．网上调查：Online investigation:

几个人一组，完成网上调查。请在北京、天津或上海选择一个经济技术开发区，调查：那儿有哪几家你们知道的外国企业？这些企业能享受什么样的优惠政策？

Work in groups to do the online survey. Please select an economic and technological development zone in Beijing, Tianjin or Shanghai and investigate the following: What are the foreign enterprises known to you in that development zone? What preferential policies are the enterprises entitled to?

3．小组讨论：Group discussion:

(1) 完成上面的调查后，与同组的同学一起讨论这家外国企业为什么要在中国建厂。

After making the above survey, make a group discussion why the foreign enterprises chose to set up factories in China.

(2) 把讨论的结果向老师和同学报告一下。

Report the results of the discussion to the class.

第二单元
UNIT 

商务谈判
Business negotiation

课文 Text	题目 Title	注释 Notes
一	注意谈判的技巧 Pay attention to the negotiation skills	1. 介词“对” The preposition “对” 2. 介词“于”表示处所和来源 The preposition “于” indicating location or resource 3. 副词“又” The adverb “又” 4. “的”字结构（复习） The “的” structure (Review) 5. 成语“知己知彼” The idiom “知己知彼” 6. 助词“看” The particle “看” 7. 副词“一味” The adverb “一味” 8. 紧缩复句 The condensed compound sentence
二	我方接受贵方的报价 We accept your offer	1. 习惯用语“恕我直言” The idiom “恕我直言” 2. 副词“才”（复习） The adverb “才” (Review) 3. 动词“为”（wéi） The verb “为”（wéi） 4. 副词“可” The adverb “可” 5. “是……的”句（复习） The “是……的” sentence (Review) 6. 动词＋可能补语：“比不上” The structure “verb + complement of possibility ‘比不上’” 辨析：可能补语、情态补语 Discrimination: complement of possibility and modal complement 7. 动词“利于” The verb “利于” 8. 插入语“综合来看” The parenthesis “综合来看”

Zhùyì Tánpàn de Jìqiǎo

注意谈判的技巧

课文一 Text 1 Pay attention to the negotiation skills

参观后，工作人员把康爱丽和小钱请进贵宾室稍稍休息一下。双方约好半小时后见面。中方销售部赵经理在向沈厂长报告情况。

● 赵经理：沈厂长，我刚得到消息，她们这次和北方的几家加工厂都接洽过，我们这儿是最后一站。

○ 沈厂长：一定要把握住这个机会。

● 赵经理：她们对比一下也好，更能显示我们的实力。

○ 沈厂长：对！要有信心。

● 赵经理：刚才参观时，可以看出康总还是很满意的。

○ 沈厂长：你对康总这个人了解多少？

● 赵经理：她毕业于法国著名的商学院，现在正在北京学习汉语。

○ 沈厂长：嗯，在谈判前注意收集对方的信息，这很好！

● 赵经理：谢谢您的夸奖。一会儿谈判的时候，我要注意些什么？

○ 沈厂长：平等互利。我们要做到不卑不亢。小的问题，比如包装方面，我们可以让步，但原则问题要坚持。

● 赵经理：沈厂长，您谈判经验丰富，口才又好，您亲自出马，谈判一定没问题！

○ 沈厂长：最重要的还是对谈判对方的把握。

● 赵经理：您是说知己知彼吧？

○ 沈厂长：对！

● 赵经理：她们这次联系我们以后，在这么短的时间内就来参观，提出的要求又很具体，……

○ 沈厂长：你说说看，可以看出什么？

● 赵经理：看得出她们有合作的意向。效率这么高，可能是加工任务很急。

○ 沈厂长：所以，谈判时要突出我们对加工质量和时间的保证，不要一味打价格战。

● 赵经理：是啊。人们常说议价是谈判的焦点，但是还是要见机行事。

○ 沈厂长：要注意谈判的技巧，要恰到好处。

● 赵经理：让步的分寸真是不好掌握。

○ 沈厂长：记住我们的底价，可以适当地让步。

● 赵经理：明白了。

（沈厂长看了看表。）

○ 沈厂长：赶快去会议室吧，迟到就失礼了！

※·※

Cānguān hòu, gōngzuò rényuán bǎ Kāng Àilì hé Xiǎo Qián qǐngjìn guìbīnshì shāoshāo xiūxi yíxià. Shuāngfāng yuēhǎo bàn xiǎoshí hòu jiànmiàn. Zhōngfāng xiāoshòubù Zhào jīnglǐ zài xiàng Shěn chǎngzhǎng bàogào qíngkuàng.

● Zhào jīnglǐ: Shěn chǎngzhǎng, wǒ gāng dédào xiāoxi, tāmen zhè cì hé běifāng de jǐ jiā jiāgōngchǎng dōu jiēqiàguo, wǒmen zhèr shì zuìhòu yí zhàn.

○ Shěn chǎngzhǎng: Yídìng yào bǎwò zhù zhège jīhui.

● Zhào jīnglǐ: Tāmen duìbǐ yíxià yě hǎo, gèng néng xiǎnshì wǒmen de shílì.

○ Shěn chǎngzhǎng: Duì! Yào yǒu xìnxīn.

● Zhào jīnglǐ: Gāngcái cānguān shí, kěyǐ kànchū Kāng zǒng háishi hěn mǎnyì de.

○ Shěn chǎngzhǎng: Nǐ duì Kāng zǒng zhège rén liǎojiě duōshao?

● Zhào jīnglǐ: Tā bìyè yú Fǎguó zhùmíng de shāngxuéyuàn, xiànzài zhèngzài Běijīng xuéxí Hànyǔ.

○ Shěn chǎngzhǎng: Ǹg, zài tánpàn qián zhùyì shōují duìfāng de xìnxī, zhè hěn hǎo!

● Zhào jīnglǐ: Xièxie nín de kuājiǎng. Yíhuìr tánpàn de shíhou, wǒ yào zhùyì xiē shénme?

○ Shěn chǎngzhǎng: Píngděng hùlì. Wǒmen yào zuòdào bù bēi bú kàng. Xiǎo de wèntí, bǐrú bāozhuāng fāngmiàn, wǒmen kěyǐ ràngbù, dàn yuánzé wèntí yào jiānchí.

● Zhào jīnglǐ: Shěn chǎngzhǎng, nín tánpàn jīngyàn fēngfù, kǒucái yòu hǎo, nín qīnzì chūmǎ, tánpàn yídìng méi wèntí!

○ Shěn chǎngzhǎng: Zuì zhòngyào de háishi duì tánpàn duìfāng de bǎwò.

● Zhào jīnglǐ: Nín shì shuō zhī jǐ zhī bǐ ba?

○ Shěn chǎngzhǎng: Duì!

● Zhào jīnglǐ: Tāmen zhè cì liánxì wǒmen yǐhòu, zài zhème duǎn de shíjiān nèi jiù lái cānguān, tíchū de yāoqiú yòu hěn jùtǐ, ……

○ Shěn chǎngzhǎng: Nǐ shuōshuo kàn, kěyǐ kànchū shénme?

● Zhào jīnglǐ: Kàn de chū tāmen yǒu hézuò de yìxiàng. Xiàolǜ zhème gāo, kěnéng shì jiāgōng rènwu hěn jí.

○ Shěn chǎngzhǎng: Suǒyǐ, tánpàn shí yào tūchū wǒmen duì jiāgōng zhìliàng hé shíjiān de bǎozhèng，bú yào yíwèi dǎ jiàgézhàn.

● Zhào jīnglǐ: Shì a. Rénmen cháng shuō yìjià shì tánpàn de jiāodiǎn，dànshì háishi yào jiànjī xíngshì.

○ Shěn chǎngzhǎng: Yào zhùyì tánpàn de jìqiǎo，yào qià dào hǎo chù.

● Zhào jīnglǐ: Ràngbù de fēncun zhēn shì bù hǎo zhǎngwò.

○ Shěn chǎngzhǎng: Jìzhù wǒmen de dǐjià，kěyǐ shìdàng de ràngbù.

● Zhào jīnglǐ: Míngbai le.

(Shěn chǎngzhǎng kànle kàn biǎo.)

○ Shěn chǎngzhǎng: Gǎnkuài qù huìyìshì ba，chídào jiù shīlǐ le!

※ • ※

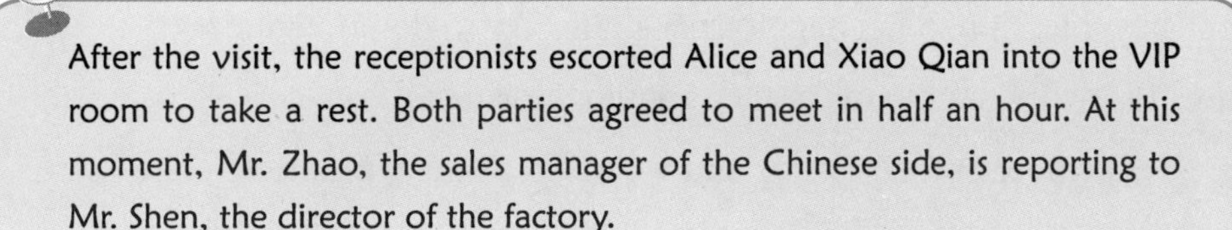

After the visit, the receptionists escorted Alice and Xiao Qian into the VIP room to take a rest. Both parties agreed to meet in half an hour. At this moment, Mr. Zhao, the sales manager of the Chinese side, is reporting to Mr. Shen, the director of the factory.

● Zhao: Mr. Shen, I was just told that they have contacted several processing factories and we are the last stop on their trip.

○ Shen: We need to seize this opportunity.

● Zhao: It's not a bad thing for them to make some comparisons, which will better demonstrate our strength.

○ Shen: Exactly! Have faith!

● Zhao: We can see she was quite satisfied during her visit.

○ Shen: How much do you know about Ms. Clement?

● Zhao: She graduated from a famous business school in France and now she is studying Chinese in Beijing.

○ Shen: OK, it's good you did some homework before the negotiation!

● Zhao: Thanks for your compliment! What should I pay attention to in the coming negotiation?

○ Shen: The principle of equality and mutual benefit. We should neither abase ourselves nor act arrogant. We can make concessions in minor aspects such as packaging, but we must adhere to our basic principles.

● Zhao: Mr. Shen, you have rich experience in negotiating and you are so eloquent. As you will attend to the negotiation personally, I'm sure we'll be invincible.

○ Shen: The most important thing is to have a good grasp of the other party's situations.

● Zhao: You mean we need to know both ourselves and our adversary?

○ Shen: Exactly!

● Zhao: They contacted us first, and they came to visit us very soon, and they have put forward very detailed requirements, …

○ Shen: So what can you see from all these?

● Zhao: I can see they have the intent for cooperation. Their high work efficiency might indicate an urgency in processing projects.

○ Shen: So we should highlight our assurance of processing quality and ability to meet deadlines. A simple wrestling over the price is not necessary.

● Zhao: Yes. People often say that price is the focus of the negotiation, but we'd better act according to the circumstances.

○ Shen: Pay attention to the negotiation skills. Try to do it to a nicety.

● Zhao: It is really hard to make the right concession.

○ Shen: Remember our base price and we could make appropriate concessions.

● Zhao: I see.

(Shen looks at his watch.)

○ Shen: Let's go to the conference room now. It's impolite to be late.

生词 Shēngcí New Words

1. 谈判	tánpàn	V	to negotiate
2. 技巧	jìqiǎo	N	skill
3. 得到	dédào	V	to get
4. 接洽	jiēqià	V	to contact
5. 把握	bǎwò	V	to seize (opportunity)
6. 对比	duìbǐ	V	to compare
7. 显示	xiǎnshì	V	to demonstrate /show
8. 还是	háishi	Adv	still
9. 满意	mǎnyì	V	to satisfy

10. 对	duì	Prep	to
11. 了解	liǎojiě	V	to know, to understand
12. 毕业	bì yè	V//O	to graduate
13. 于	yú	Prep	from
14. 商学院	shāngxuéyuàn	N	business school
15. 收集	shōují	V	to collect
16. 对方	duìfāng	N	the other party
17. 夸奖	kuājiǎng	V	to commend, to praise, to compliment
18. 时候	shíhou	N	time, moment
19. 互利	hùlì	V	mutual benefit
20. 不卑不亢	bù bēi bú kàng		neither humble nor haughty
21. 问题	wèntí	N	issue, problem
22. 比如	bǐrú	V	to take... for example
23. 包装	bāozhuāng	V / N	to pack; package
24. 方面	fāngmiàn	N	aspect, in the area of
25. 原则	yuánzé	N	principle
26. 坚持	jiānchí	V	to adhere to
27. 口才	kǒucái	N	eloquence
28. 出马	chū mǎ	V//O	to take up a matter
29. 重要	zhòngyào	Adj	important
30. 知己知彼	zhī jǐ zhī bǐ		to know both oneself and one's adversary
31. 内	nèi	N	within
32. 具体	jùtǐ	Adj	detailed, specific
33. 意向	yìxiàng	N	intent
34. 任务	rènwu	N	task
35. 突出	tūchū	V	to highlight
36. 一味	yíwèi	Adv	blindly

37. 焦点	jiāodiǎn	N	focus
38. 见机行事	jiànjī xíngshì		to act according to the circumstances
39. 恰到好处	qià dào hǎo chù		to the nicety
40. 让步	ràng bù	V//O	to give in, to make a concession
41. 分寸	fēncun	N	sense of propriety
42. 掌握	zhǎngwò	V	to get hold of
43. 底价	dǐjià	N	base price
44. 明白	míngbai	V	to understand
45. 失礼	shīlǐ	V	to be impolite

注释 Zhùshì Notes

1 你对康总这个人了解多少？ How much do you know about Ms. Clement?

“对”，介词，这里引进动作的对象或关系者，表示人和事物、行为之间的对待关系。注意：表示人和人之间的对待关系，必须用“对”。例如：

“对” is a preposition introducing an object or a related person. It means “in relation with” or “with regard to”. Note: “对” must be used to indicate the relationship between people. For example,

① 他们对我们公司的安排很满意。
② 你对这个问题怎么看？
③ 要注意对产品质量的检查。
④ 他对我很好，一直很关心我。

2 她毕业于法国著名的商学院。She graduated from a famous business school in France...

“于”，介词，“在”的意思，常用在书面语中。这里表示处所和来源，后面可以带处所词语或名词短语。常用在动词或动宾结构之后。例如：

“于” is a preposition meaning “from”. It is often used in written Chinese. In this case, it indicates place or source and may be followed by a word of place or a noun phrase. It is often used after a verb or verb-object structure. For example,

①哈密瓜（hāmìguā, Hami melon）产于新疆（Xīnjiāng, an autonomous region of China）。

②黄河（Huáng Hé, the Yellow River）发源于青海省（Qīnghǎi Shěng, a province of China）。

③他1983年生于法国巴黎。

④中国位于亚洲（Yàzhōu, Asia）的东南（dōngnán, southeast）部。

3 您谈判经验丰富，口才又好。

You have rich experience in negotiating and you are so eloquent.

“又”，副词，表示几种性质或情况同时存在。可以单用，也可以连用。可以用在每个小句中，也可以只用在最后一个小句中。例如：

“又” is an adverb indicating several properties or conditions exist at the same time. It may be used individually or repetitively. “又” can be used in every clause of a sentence, or only in the last clause. For example,

①新上任的总经理能力（nénglì, ability）强（qiáng, strong），对员工又很和气（héqi, kind, polite）。

②他们的产品质量又好，价格又不高。

③小王听到这个消息后非常高兴，又唱又跳。

4 最重要的还是对谈判对方的把握。

The most important thing is to have a good grasp of the other party's situations.

“的”字结构。这一句的主语是由形容词短语“最重要”加上助词“的”组成的“的”字结构。名词（短语）、代词（短语）、动词（短语）、形容词（短语）及主谓短语等，都可以加上“的”组成“的”字结构。它的功能相当于一个名词，有限制、区别的作用，在句中可以作主语、宾语。“的”字不能省略。例如：

It's a “的” structure. The subject of this sentence is a “的” structure composing of an adjectival phrase “最重要” and a particle “的”. A noun (or a noun phrase), a pronoun (or a pronoun phrase), a verb (or a verbal phrase), an adjective (or an adjectival phrase) or a subject-predicate phrase, etc., can be followed by the particle “的” to form a “的” structure. Its function is similar to a noun and used as a subject or an object for restriction or differentiation. “的” cannot be omitted. For example,

①老师最喜欢的是明明。

②在我们公司，工作能力最强的是卡尔。

③这不是我们最想要的。

④他喜欢吃甜的。

注意：(1)“的”字短语所指的人或事物必须是已知的信息；(2)“的”字短语只能指代具体的人或事物，一般不能指代抽象的事物。

Note: (1) “的” phrase must refer to somebody or something that has already been known to others; (2) it can only denote a specific person or thing, not something abstract.

5 您是说知己知彼吧？ You mean we need to know both ourselves and our adversary?

“知己知彼”，成语，出自《孙子兵法·谋攻》。原文是：“知己知彼，百战不殆”，意思是，在军事纷争中，既了解敌人，又了解自己，战斗一百次都不会有危险。现在指对自己和对方的情况都有透彻的了解。

“知己知彼” is an idiom from Master Sun’s *Attacking Strategies* in *Art of War*. The original phrase of the book is “知己知彼，百战不殆”, meaning if you know the enemy and yourself, you can fight a hundred of battles with no danger of defeat. It is now used to mean to have a thorough understanding of your partner and yourself.

6 你说说看，可以看出什么？ So what can you see from all these?

“看”，这里是助词，放在动词或动词短语的后面，“试一试”的意思，前面的动词常常用重叠式。例如：

“看”, an auxiliary in this case, is put after a verb or verbal phrase, meaning “have a try”. The verb before “看” is often reduplicated. For example,

① 想想看，暑假你们都去了什么地方？

② 她说了要来，咱们再等等看。

③ 这是我们公司的新产品，您用用看。

7 不要一味打价格战。 A simple wrestling over the price is not necessary.

“一味”，副词，表示“单纯地、没有别的”。常常用在贬义的情况中。在动词（短语）前加上“一味”表示这种动作情况过分了，就变成不好的了。例如：

“一味” is an adverb indicating “simply, nothing else”. It is usually used in a derogatory sense. If used before a verb (or a verbal phrase), it means the action is going too far and is becoming something bad. For example,

① 一味降价不是争取（zhēngqǔ, to win over）顾客的好方法。

② 一味扩大生产、不考虑（kǎolǜ, to consider）市场需求（xūqiú, need）是不行的。

③ 公司不能一味追求效益（xiàoyì, benefit），也要为社会（shèhuì, society）服务。

8 迟到就失礼了！ It's impolite to be late.

紧缩复句。这里通过关联词“就”把两个谓语“迟到”和“失礼”连接起来，句子中的两个谓语成分属于同一个主语，中间没有停顿。

This is a condensed compound sentence by using the conjunction “就” to link the two predicates “迟到” and “失礼”. The two predicates have the same subject in the sentence without a pause in between.

紧缩复句是用单句的形式表达复句的内容。紧缩复句的谓语部分必须包括两个相对独立的陈述内容，这两部分内容之间是承接、条件、让步、假设、转折、因果等关系。紧缩复句谓语部分的两个谓语之间既不包含，也不互相修饰，它们的主语可以相同也可以不同。当主语相同时，主语放在句首。

A condensed compound sentence functions as a compound sentence in meaning but in the form of a simple sentence. Its predicate includes two independent statements, and the two parts form a consecutive, conditional, concessive, hypothetical, transitive or causative relationship. The two parts of the predicate neither include nor modify each other; their subjects can be either the same or different. When they have the same subject, the subject is put at the beginning of the sentence.

紧缩复句的两个分句部分一般不用连词（如“虽然、但是、因为、所以、如果”等），而是常用一个或一对有关联作用的副词，或者不用关联词语，把两部分紧缩成一个整体，形式像一个单句的谓语部分。根据关联词语的使用情况，紧缩复句分为用成对的关联词语、用一个关联词语和不用关联词语三种情况。比如“迟到就失礼了”中，是用一个关联词“就”表示假设关系。例如：

In general, the two clausal parts of a condensed compound sentence is not combined by a conjunction, such as “虽然”, “但是”, “因为”, “所以” or “如果”, but one or two connective adverbs. Or, the two parts are condensed to form an entirety without using a connective word, similar to the predicate of a simple sentence. In a condensed compound sentence, a pair of connective words, a connective word or no connective word may be used. For example, in “迟到就失礼了”, the connective word “就” is used to indicate a hypothetical relationship. For example,

① 他一学就会。（条件关系 conditional relationship）
② 这孩子越长越好看。（递进关系 progressive relationship）
③ 咱们不见不散。（假设关系 hypothetical relationship）
④ 看了就知道了。（条件关系 conditional relationship）
⑤ 答应（dāying, to promise）了就得去。（让步关系 concessive relationship）
⑥ 站得高才能看得远。（条件关系 conditional relationship）
⑦ 你不说我也知道。（让步关系 concessive relationship）
⑧ 我们想旅游没钱。（转折关系 transitive relationship）

⑨ 你说我做。（承接关系 consecutive relationship）

⑩ 沈厂长病了没来。（因果关系 causative relationship）

⑪ 你去他去都行。（选择关系 selective relationship）

紧缩复句的一个关联词语往往可以表示多种关系，要根据上下文来判断，如例④、例⑤用"就"分别表示条件关系和让步关系。对于没有关联词语的紧缩复句，可以通过添加关联词语的方法来帮助理解分句之间的关系。

A connective word of a condensed compound sentence often indicates many kinds of relationships, which are decided by the context. In example ④ and ⑤, "就" is used to indicate a conditional relationship and a concessive relationship respectively. For a condensed compound sentence without a connective word, a connective word may be added to clarify the relationship between the clauses.

Wǒ Fāng Jiēshòu Guì Fāng de Bàojià

我方接受贵方的报价

课文二 Text 2

We accept your offer

中法双方谈判代表来到会议室。双方寒暄后谈价格。

● 康爱丽：恕我直言，贵方能保证成品达到我方的质量要求吗？

○ 赵经理：完全可以保证。我们的加工能力、技术和质量在国内都是领先的。

● 沈厂长：请放心！回样得到贵公司确认后，我方才开始生产。

○ 康爱丽：那好。这一次我们想先做来样加工。

● 小　钱：我们看过报价单了，不过希望能得到你们的实盘。

○ 赵经理：如果订货量大，我们可以降价。

（小钱从包里拿出一件男式茄克。）

● 小　钱：您看，请您报一下这种全棉茄克 10 万件离岸价的加工费。

○ 赵经理：这种茄克，FOB 天津新港，每件 6 美元。

● 康爱丽：我们还盘为每件 4.5 美元。

○ 沈厂长：这个价格太低了！如果每个客户都这样做，我们就没办法生存了。

● 小　钱：10 万件可不是个小数目！在别的厂家那里，我们早就可以拿到一个更好的价格了。

○ 沈厂长：货比三家当然好，但结果您会发现，我们的做工、产品质量是一般的厂家比不上的。

● 康爱丽：这我知道，不过如果双方都让一步，更利于达成协议。

○ 赵经理：这两年生产成本一直在涨。这个价格已经很优惠了，不能再让了。

● 沈厂长：综合来看，其实我们的价格比别处报的还便宜。

○ 康爱丽：如果这次合作成功，以后咱们可以长期合作。

● 赵经理：可这是给老客户才报的实盘价呀。

○ 康爱丽：这样吧，我们再加 0.5 美元，每件 5 美元吧。再高，我们就只能重新选择了。

● 小　钱：毕竟还是有很多厂家可以选择嘛！

（中方人员商量了一下。）

○ 沈厂长：康总，您太厉害了！好吧，为了以后的合作，我方最后把价格降到每件 5.5 美元。如果您还不能接受，恐怕咱们的生意就只能告吹了。

（法方两人商量了一下。）

● 康爱丽：好，就 5.5 美元，只要你们提前交货。

○ 赵经理：我们可以在 10 天内交货。

● 康爱丽：那我方接受贵方的报价。

○ 沈厂长：很高兴咱们能在价格问题上达成一致。康总，您看，休息一下，好吗？

● 康爱丽：好的，大家都歇会儿吧。

※·※

Zhōng Fǎ shuāngfāng tánpàn dàibiǎo láidào huìyìshì, shuāngfāng hánxuān hòu tán jiàgé.

● Kāng Àilì: Shù wǒ zhíyán, guì fāng néng bǎozhèng chéngpǐn dádào wǒ fāng de zhìliàng yāoqiú ma?

○ Zhào jīnglǐ: Wánquán kěyǐ bǎozhèng. Wǒmen de jiāgōng nénglì、jìshù hé zhìliàng zài guónèi dōu shì lǐngxiān de.

● Shěn chǎngzhǎng: Qǐng fàngxīn! Huíyàng dédào guì gōngsī quèrèn hòu, wǒ fāng cái kāishǐ shēngchǎn.

○ Kāng Àilì: Nà hǎo. Zhè yí cì wǒmen xiǎng xiān zuò láiyàng jiāgōng.

● Xiǎo Qián: Wǒmen kànguo bàojiàdān le, búguò xīwàng néng dédào nǐmen de shípán.

○ Zhào jīnglǐ: Rúguǒ dìnghuòliàng dà, wǒmen kěyǐ jiàngjià.

(Xiǎo Qián cóng bāo li náchū yí jiàn nánshì jiākè.)

● Xiǎo Qián: Nín kàn, qǐng nín bào yíxià zhè zhǒng quánmián jiākè shíwàn jiàn lí'ànjià de jiāgōngfèi.

○ Zhào jīnglǐ: Zhè zhǒng jiākè, FOB Tiānjīn xīn gǎng, měi jiàn liù měiyuán.

● Kāng Àilì: Wǒmen huánpán wéi měi jiàn sì diǎn wǔ měiyuán.

○ Shěn chǎngzhǎng: Zhège jiàgé tài dī le! Rúguǒ měi ge kèhù dōu zhèyàng zuò, wǒmen jiù méi bànfǎ shēngcún le.

● Xiǎo Qián: Shíwàn jiàn kě bú shì ge xiǎo shùmù! Zài bié de chǎngjiā nàli, wǒmen zǎo jiù kěyǐ nádào yí ge gèng hǎo de jiàgé le.

○ Shěn chǎngzhǎng: Huò bǐ sān jiā dāngrán hǎo, dàn jiéguǒ nín huì fāxiàn, wǒmen de zuògōng、chǎnpǐn zhìliàng shì yìbān de chǎngjiā bǐ bu shàng de.

● Kāng Àilì: Zhè wǒ zhīdao, búguò rúguǒ shuāngfāng dōu ràng yí bù, gèng lìyú dáchéng xiéyì.

○ Zhào jīnglǐ: Zhè liǎng nián shēngchǎn chéngběn yìzhí zài zhǎng. Zhège jiàgé yǐjīng hěn yōuhuì le, bù néng zài ràng le.

● Shěn chǎngzhǎng: Zōnghé lái kàn, qíshí wǒmen de jiàgé bǐ bié chù bào de hái piányi.

○ Kāng Àilì: Rúguǒ zhè cì hézuò chénggōng, yǐhòu zánmen kěyǐ chángqī hézuò.

● Zhào jīnglǐ: Kě zhè shì gěi lǎo kèhù cái bào de shípánjià ya.

○ Kāng Àilì: Zhèyàng ba, wǒmen zài jiā líng diǎn wǔ měiyuán, měi jiàn wǔ měiyuán ba. Zài gāo, wǒmen jiù zhǐ néng chóngxīn xuǎnzé le.

● Xiǎo Qián: Bìjìng háishi yǒu hěn duō chǎngjiā kěyǐ xuǎnzé ma!

(Zhōng fāng rényuán shāngliangle yíxià.)

○ Shěn chǎngzhǎng: Kāng zǒng, nín tài lìhai le! Hǎo ba, wèile yǐhòu de hézuò, wǒ fāng zuìhòu bǎ jiàgé jiàngdào měi jiàn wǔ diǎn wǔ měiyuán. Rúguǒ nín hái bù néng jiēshòu, kǒngpà zánmen de shēngyi jiù zhǐ néng gàochuī le.

(Fǎ fāng liǎng rén shāngliangle yíxià.)

● Kāng Àilì: Hǎo, jiù wǔ diǎn wǔ měiyuán, zhǐyào nǐmen tíqián jiāo huò.

○ Zhào jīnglǐ: Wǒmen kěyǐ zài shí tiān nèi jiāo huò.

● Kāng Àilì: Nà wǒ fāng jiēshòu guì fāng de bàojià.

○ Shěn chǎngzhǎng: Hěn gāoxìng zánmen néng zài jiàgé wèntí shang dáchéng yízhì. Kāng zǒng, nín kàn, xiūxi yíxià, hǎo ma?

● Kāng Àilì: Hǎo de, dàjiā dōu xiē huìr ba.

※ • ※

The negotiators of both sides come to the conference room. They start to discuss the price after exchanging greetings.

● Alice: To be frank, can you guarantee that your finished products meet our quality requirements?

○ Zhao: Absolutely. Our processing capability, technology and quality are all in the leading position in China.

● Shen: Please rest assured! Only after you approve our counter sample will we start our production.

○ Alice: OK. This time we want to do processing with supplied samples first.

● Xiao Qian: We have read your quotation sheet, but we wish to have your firm offer.

○ Zhao: If your order is big, we could lower the price.

(Xiao Qian takes out a men's jacket from her bag.)

● Xiao Qian: Look, please quote your processing fee for this kind of cotton jacket, FOB

100,000 pieces.

○ Zhao: For this kind of jacket, 6 US dollars per piece, FOB Tianjin New Port.

● Alice: Our counter offer is 4.5 US dollars per piece.

○ Shen: This price is too low! If every customer bargains like that, we won't be able to survive.

● Xiao Qian: 100,000 is not a small number! We may easily get a better price from other companies.

○ Shen: It's good for you to shop around. But in the end you'll find the craftsmanship and quality of the product made in this factory far surpass those of an average company.

● Alice: I know that, but if we both make some concession, it will be good to our reaching an agreement.

○ Zhao: The production cost has always been rising for the last two years. The price is already very favorable to you; we can't make any further concession.

● Shen: From a comprehensive perspective, our price is actually lower than that of other companies.

○ Alice: If our cooperation is successful this time, we may establish a long-term cooperative relationship.

● Zhao: This is a firm offer we quote for our regular customers.

○ Alice: OK, we may add 0.5 US dollars, 5 US dollars per piece. If your price is any higher, we will have to take other alternatives.

● Xiao Qian: After all we still have many other companies to choose from!

(Members of the Chinese side discuss the problem for a while.)

○ Shen: Ms. Clement, you're awesome! OK, for future cooperations we lower the price to a final 5.5 US dollars per piece. If you cannot accept that, I'm afraid our business will have to be cancelled.

(The two of the French side have a discussion for a while.)

● Alice: OK, 5.5 US dollars then, as long as you advance your delivery.

○ Zhao: We may deliver the goods within ten days.

● Alice: Then we accept your offer.

○ Shen: I'm pleased we can reach an agreement in price. Now shall we have a break, Ms. Clement?

● Alice: OK, let's have a break.

生词 Shēngcí New Words

1. 接受	jiēshòu	V	to accept
2. 恕我直言	shù wǒ zhíyán		pardon me for being so frank
恕	shù	V	to forgive
直言	zhíyán	V	to speak frankly
3. 能力	nénglì	N	ability
4. 领先	lǐngxiān	V	to take the lead
5. 回样	huíyàng	N	counter sample
6. 确认	quèrèn	V	to confirm
7. 来样加工	láiyàng jiāgōng		processing with supplied samples
8. 实盘	shípán	N	firm offer
9. 订货	dìng huò	V//O	to order goods
10. 茄克	jiākè	N	jacket
11. 离岸价	lí'ànjià	N	FOB (Free on Board)
12. 港	gǎng	N	harbor
13. 美元	měiyuán	N	US dollar
14. 还盘	huánpán	N	counter offer
15. 生存	shēngcún	V	to survive
16. 货比三家	huò bǐ sān jiā		to shop around
17. 结果	jiéguǒ	N	result
18. 发现	fāxiàn	V	to find
19. 做工	zuògōng	N	craftsmanship /quality
20. 双方	shuāngfāng	N	both sides
21. 有利于	lìyú	V	to be good to
22. 达成 +30	dáchéng	V	to reach
23. 涨	zhǎng	V	to rise, to increase
24. 综合	zōnghé	V	to be comprehensive

综合大学

25. 成功	chénggōng	V / Adj	to succeed; successful
26. 恐怕	kǒngpà	Adv	for fear of
27. 告吹	gàochuī	V	to cancel
28. 提前	tíqián	V	to advance
29. 交货	jiāo huò	V O	to deliver goods
30. 一致	yízhì	Adj	unanimous
31. 歇	xiē	V	to have a break

注释 Zhùshì Notes

1 恕我直言，…… To be frank,...

"恕我直言"，口语中在说出自己看法之前的客套话。"恕"，动词，客套话，表示请对方不要介意。例如：

"恕我直言" is a polite formula used in spoken Chinese before expressing someone's opinion. "恕" is a verb. It is used to politely ask the listener not to mind. For example,

① 恕我直言，你们的产品和样品相差太多。
② 恕我直言，我对贵公司的服务非常不满意。
③ 贵公司的报价太高，恕难接受。

2 回样得到贵公司确认后，我方才开始生产。
Only after you approve our counter sample will we start our production.

"才"，副词，表示只有在某种条件下，或是由于某种原因，然后怎么样。"才"起关联作用，用在后一小句中，前一小句中常有表示条件、原因的连词"只有、因为、为了"等和它搭配。"只有……才……"表示的条件是唯一的。本句就是表示条件的复句，前一分句省略了连词"只有"。例如：

"才", an adverb, is used in the second clause indicating something happens "only" under a certain condition. A causative conjunction such as "只有", "因为" or "为了" often appears in the first clause to correspond with it. The structure "只有……才……" indicates that the condition mentioned is exclusive. This sentence is a conditional compound sentence and the conjunction "只有" is omitted in the first clause. For example,

① 只有王总经理同意（tóngyì, to agree）了，我们才能和你合作。
② 因为（yīnwèi, because）不懂才问你的。
③ 为了找到更好的工作，她才到中国来的。

3 我们还盘为每件 4.5 美元。Our counter offer is 4.5 US dollars per piece.

"为（wéi）"，动词，"变成、成"的意思。例如：

"为 (wéi)" is a verb meaning "to be". For example,

① 经过（jīngguò, through）他们十年的努力，这里的沙漠变为了绿洲。
② 总经理宣布康爱丽为中国分公司总经理。
③ 你把这块蛋糕分为三份吧。

4 10 万件可不是个小数目！ 100,000 is not a small number!

"可"，副词，表示强调。例如：

"可" is an adverb indicating emphasis. For example,

① 你们的这种产品可真不错！
② 你可来了，我们等了你好久了。
③ 明天要交作业，你可别忘了。

5 但结果您会发现，我们的做工、产品质量是一般的厂家比不上的。
But in the end you'll find the craftsmanship and quality of the product made in this factory far surpass those of an average company.

"是……的"，表示强调的句式，用来加强语气。绝大多数情况下，强调的内容在"是"和"的"之间,"的"一般放在句末。"是……的"中间一般是动词、带状语的动词短语或主谓短语。

"是……的" is an emphatic sentence pattern to strengthen the tone. In most cases, the content emphasized falls between "是" and "的"; and "的" is usually put at the end of the sentence. Between "是……的" is usually a verb, a verbal phrase or a subject-predicate phrase with an adverbial.

"是……的"强调的内容分为两种：一种是强调与句中谓语动词相关的成分，如动作的施事、动作的对象、时间、处所、方式、工具、材料、条件、目的等。这时，动作已经发生或完成，并且这一事实是交际双方已知的信息。"是"用来指明它后面的成分是全句表达的重点，"的"表示确认语气，也表示过去完成。例如：

The content emphasized by "是……的" can be divided into two kinds: one is to emphasize the elements related to the predicative verb, such as the agent of an action, the object of an action, time, place, method, instrument, material, condition or purpose, etc. In such a case, the action has taken place or been completed and the fact is the information known to both parties concerned. The function of "是" is to indicate that the following element is the focus of the whole sentence. "的" indicates the tone of affirmation and the completion of an action. For example,

① 这份合同是沈厂长同意的。

② 这件事是谁告诉小钱的？

③ 我们是昨天晚上才到北京的。

④ 那本词典（cídiǎn, dictionary）是在网上买的。

⑤ 这本书是用布做的。

⑥ 他的报告（bàogào, report）是在老师的帮助下完成（wánchéng, to finish）的。

⑦ 他们是为了找生产厂家来天津的。

⑧ 我是学英语的，他是学法语的。

在强调受事或动作的对象时，如例⑧，也可以把宾语放在句末，即：主语 + “是” + 谓语 + “的” + 宾语。例如：

When emphasizing the recipient or the object of an action as shown in example ⑧, the object can also be used at the end of a sentence, i.e. subject + “是” + predicate +“的”+ object. For example,

⑨ 我是学的英语，他是学的法语。

例⑧、例⑨都可以说，但例⑧会与用“的”字短语作宾语的“是”字句发生混淆。例如：

Both example ⑧ and example ⑨ are right. But example ⑧ might be mixed up with a “是” sentence in which a “的” phrase is used as the object. For example,

⑧' 我是学英语的，他是学法语的。（“是……的”句 The “是……的” sentence）

⑧'' 我是学英语的（学生），他是学法语的（学生）。（“的”字短语作宾语的“是”字句 The “的” phrase is used as the object of the “是” sentence.）

所以，为了避免歧义，最好把宾语放在句末，采用例⑨的表达。

So, to avoid ambiguity, the object should be put at the end of the sentence as shown in example ⑨.

另一种强调的是整个谓语部分。全句带有肯定的语气，“是”用在主语和谓语之间。例如：

Another kind is to emphasize the whole predicate. The sentence is affirmative in tone. “是” is used between the subject and predicate. For example,

⑩ 她是不会这么早回去的。

⑪ 你不努力是学不好汉语的。

⑫ 我们这次的合作是很成功的。

⑬ 参观完华美服装加工厂，康爱丽还是很满意的。

“是……的”句中的“是”有时可以省略，而“的”不能省略。当主语是“这、那”时，一般不能省略“是”；在否定形式中，“是”也不能省略。例如：

The “是” in a “是……的” sentence can be omitted sometimes, but “的” cannot be omitted. When the subject is “这” or “那”, “是” usually cannot be omitted. In a negative structure, “是” cannot be omitted, either. For example,

⑭ 卡尔（是）上周走的。
⑮ 这是昨天刚买的。
⑯ 康爱丽不是上午到服装公司参观的。

6 但结果您会发现，我们的做工、产品质量是一般的厂家比不上的。
But in the end you'll find the craftsmanship and quality of the product made in this factory far surpass those of an average company.

"比不上"，动词加可能补语，强调一方没有能力、条件和另一方相比。本句是说明他们厂的做工、产品质量比一般的厂家好。

In "比不上", a verb is followed by a complement of possibility to emphasize one doesn't have the ability or condition to compete with the other party. This sentence indicates that the craftsmanship and quality of the product made in this factory are much better than other factories.

"上"，表示趋向的动词，可以放在动词后作趋向补语。汉语中，在大多数情况下，动词和它的结果补语或趋向补语之间可以加上"得"（肯定式）或"不"（否定式），构成可能补语，比如："听（得/不）上、听（得/不）懂、看（得/不）清、说（得/不）完、买（得/不）到、出（得/不）来、做（得/不）出来"。可能补语的后面可以带宾语，但是宾语后面不能带动态助词"了、过"。例如：

"上" is a verb indicating tendency. It can be used after a verb as a complement of tendency. In most cases, in Chinese, between a verb and its complement of result or complement of tendency, "得" can be used in an affirmative sentence and "不" can be used in a negative sentence. For example, "听（得/不）上", "听（得/不）懂", "看（得/不）清", "说（得/不）完", "买（得/不）到", "出（得/不）来", "做（得/不）出来". A complement of possibility can be followed by an object, however, an object cannot be followed by the aspect particle "了" or "过". For example,

① 这三个厂家的产品质量比不上我们的。
② 这种产品的功能比不上那种，但是很便宜。
③ 小张这个月的销售业绩达到了450万，谁能比得上他？

注意：可能补语与"能"的意思不完全一样。可能补语表示有没有能力实现动作的某种趋向或结果，不能表示情理上是否许可。例如：

Note: The meaning of a complement of possibility is not exactly the same as "能". A complement of possibility indicates the tendency or result of being or not being able to do something, but does not indicate to be or not to be permitted to do something. For example,

④ 天气很冷，你又生病（shēng bìng, to be ill）了，不能出去。（√）
⑤ 天气很冷，你又生病了，出不去。（×）

⑥ 现在在上课，你不能出去。（ √ ）
⑦ 现在在上课，你出不去。（ × ）
⑧ 门被锁（suǒ, to lock）上了，他出不来。（ √ ）
⑨ 我没有教室的钥匙（yàoshi, key），进不去。（ √ ）

辨析 Discrimination 可能补语、情态补语
complement of possibility and modal complement

可能补语中的“得”与“不”相对，表示“可能”的意义，情态补语中的“得”没有这样的意思。有时候，单音节的词作情态补语，形式上与可能补语相同，如“写得好”。这时，我们可以从下面三个方面来区别它们：

In a complement of possibility, “得” is in contrast to “不” indicating the possibility, while in a modal complement, “得” doesn’t have such a meaning. Sometimes, when a monosyllable word is used as a modal complement, it has the same form as a complement of possibility, for example, “写得好”. Then, we can differentiate them from the following three aspects:

（1）可能补语的后面可以带宾语，情态补语不能。例如：

A complement of possibility may be followed by an object, while a modal complement cannot. For example,

⑩ 她写得好这本书。（可能补语 Complement of possibility）
⑪ 她这本书写得好。（情态补语 Modal complement）

（2）这两种补语所在的句子对应的疑问句不同。例如：

A sentence containing a different complement corresponds to a different interrogative sentence. For example,

⑫ A：她能写好这本书吗？
B：她写得好这本书。（可能补语 Complement of possibility，意思是：她能写好这本书。）

⑬ A：她这本书写得怎么样？
B：她这本书写得好。（情态补语 Modal complement）

（3）这两种补语的否定形式不同。例如：

The two kinds of complements have different negative forms. For example,

可能补语 Complement of possibility：写得好——写不好
情态补语 Modal complement：写得好——写得不好

7 不过如果双方都让一步，更利于达成协议。

But if we both make some concession, it will be good to our reaching an agreement.

“利于”，动词，表示对某人或某事有利。例如：

"利于" is a verb indicating "to benefit or to be good for" to somebody or something. For example,

① 不断（búduàn, constantly）了解客户的意见，利于我们及时改进产品的性能（xìngnéng, property）。

② 在CBD办公（bàn gōng, to work），利于我们开展（kāizhǎn, to develop, to launch）业务。

③ 这种设计利于产品的运输。

8 综合来看，其实我们的价格比别处报的还便宜。

From a comprehensive perspective, our price is actually lower than that of other companies.

"综合来看"，插入语，表示把各个方面、各种情况放在一起全面地看问题。

"综合来看" is a parenthesis meaning "from a comprehensive point of view".

插入语是句子中比较特殊的成分，它不跟句中的各个成分发生结构上的关系，也不表示语气，可以放在句首、句中或句末。插入语有连接上下文的作用，不同的插入语表示不同的意思。例如：

A parenthesis is a special element in a sentence. It is not structurally related to any other element of a sentence, nor it indicates a tonal difference. It can be used at the beginning, in the middle or at the end of a sentence. A parenthesis serves as a link between the preceding text and the following one. Different parentheses have different meanings. For example,

① 综合来看，康爱丽最符合（fúhé, to accord with）销售经理的要求。

② 总的来说，我们这次谈判是成功的。
（表示概括上文所说的内容，进行总结 Summarizing what is mentioned above）

③ 他们厂的产品质量有问题，你说说，我们怎么办？
（表示引起对方的注意 Attracting the other party's attention）

④ 这件事，我看，不是真的。
（表示说话人的想法 Indicating the opinion of the speaker）

⑤ 有的学生，比如李明明，英语非常好。
（表示举例补充说明 Indicating a supplementary explanation with examples）

⑥ 本来打算周末去天津的，谁知道临时有事，取消（qǔxiāo, to cancel）了。
（表示意想不到 Indicating out of one's expectation）

⑦ 据说他已经来北京了。
（表示消息的来源 Indicating the information source）

⑧ 看来，你下个星期又要出差了。
（表示对情况的估计 Indicating the estimation of a situation）

练习 Liànxí Exercises

一 跟读生词，注意发音和声调。
Read the new words after the teacher and pay attention to your pronunciation and tones.

二 跟读课文，注意语音语调。
Read the texts after the teacher and pay attention to your pronunciation and intonation.

三 学生分组，分角色朗读课文一、二。
Divide the students into groups and read Texts 1 & 2 in roles.

四 学生分组，不看书，分角色表演课文一、二。
Divide the students into groups and play the roles in Texts 1 & 2 without referring to the book.

五 角色扮演。（提示：角色可以互换。）
Role playing. (Note: the roles can be exchanged.)

1. 两人一组，都扮演卖方，参考课文一，作谈判前的准备。
Students work in pairs and both act as sellers. Make preparations for the coming negotiation referring to Text 1.
准备的问题包括：如何把握谈判的分寸、如何把握原则、底线价格是多少、如何达到自己的预期结果、遇到对手出难题时如何应对等。
The questions to be prepared include: how to negotiate with a sense of propriety, how to adhere to the basic principles, what the base price is, how to get the results you want and how to handle the problems posed by your partner.
提示词语：Hints:
了解 信心 实力 一定 要 不要 对 是啊 就是
最重要的是 好 就这么办 太好了 但是 不过

2. 模拟谈判：Simulative negotiation:
两人一组，分别扮演卖方和买方，设想好要交易的商品，参考课文二，就价格问题进行谈判。
Students work in pairs, one acting as the seller and the other one the buyer. Think of some goods you are going to trade and have a negotiation about the price referring to Text 2.
提示词语：Hints:
恕 那好 不过 才 太……了 质量 做工 让步 涨
优惠 其实 综合来看 这样吧 恐怕 只要

六 复述课文一和课文二。
Retell Texts 1 & 2.

七 用下面的词语组成句子。
Make sentences with the following words and expressions.

课文一

1 和 这次 几家 她们 过 北方 的 都 加工厂 接洽

2 更 一下 实力 显示 能 我们 的 对比

3 正在 汉语 学习 北京 现在 她

4 收集 在 谈判前 注意 信息 对方 的 要

5 谈判 什么 注意 一会儿 我 时候 要 的

6 掌握 分寸 真是 好 让步 不 的

课文二

1 成品 吗 能 质量要求 的 保证 贵方 我方 达到

2 希望 你们 能 我们 实盘 得到 的

3 价格 的 比 便宜 我们的 别处 报 还 其实

4 选择 还是 可以 毕竟 很多 有 嘛 厂家

5 如果 恐怕 不能 您 就 我们的 接受 告吹了 还 生意 只能

6 可以 10天 交货 在 我们 内

7 接受　的　我方　报价　贵方

8 上　高兴　在　一致　能　问题　达成　价格　很　我们

八 替换练习。
Substitution drills.

1 你　对　康总这个人了解多少？

她	我们的产品很熟悉
经理	每个员工都十分关心
康爱丽	中国市场还不太了解
工作人员	我们照顾（zhàogù, to take care of）得很周到（zhōudào, thoughtful）

2 她　毕业　于　法国著名的商学院。

康爱丽	出生	法国北部的一个城市
这种口味的啤酒	源（yuán, to originate）	德国
这座楼	建	上个世纪（shìjì, century）
这些红酒	都产	欧洲

3 您谈判经验丰富，口才　又　好。

我们的产品品种（pǐnzhǒng, variety）又多，质量	好
网上购物能节约时间，	很便宜
他的女朋友又聪明	漂亮
他每次推销的时候都很自信，对客户	很耐心

4 最重要 的 还是对谈判对方的把握。

站在前面	就是我们的老板
我们看上	是你们的加工工艺
先走	都是对产品不感兴趣（gǎn xìngqù, to be interested in）的人
我们参观	是北方几个加工厂

5 你说说 看， 可以看出什么？

你尝尝	是不是挺好吃的
先用用	用得好再买
试试	这双鞋合适吗
对（duì, to check）对	有没有错的地方

6 谈判 一味（地） 打价格战是不行的。

对客户	让步也不行
他不听大夫的话，	做自己想做的事
对孩子不能	批评
公司	裁员不是应对（yìngduì, to cope with）金融（jīnróng, finance）危机（wēijī, crisis）的好办法

7 迟到 就失礼了。

他有事	不能来
天气凉快了	就好了
你想休息	就休息
他们越说	声音越大

8 恕 我直言，贵方能保证成品达到我方的质量要求吗？

不奉陪（fèngpéi, to keep sb. company）	我们不能和没有信誉（xìnyù, credit）的公司合作
难从命（cóngmìng, to comply）	你们的要求太高了
我直言	我们没有看到你们的诚意（chéngyì, sincerity）
不招待（zhāodài, to receive a guest）	我今天还有别的事

9 回样得到贵公司确认后，我方 才 开始生产。

只有提高了质量	可以提高产品的竞争力（jìngzhēnglì, competitiveness）
因为对他们公司很满意，我们	选择他们做中国代理（dàilǐ, agent）
你只有每天运动	能快点儿好起来
你们只有互相信任对方	能成为好朋友

10 我们还盘 为 每件4.5美元。

人们一般把小狗称（chēng, to refer to as）	人类最好的朋友
明天她就要成	幸福（xìngfú, happy）的新娘（xīnniáng, bride）了
康爱丽把小钱视（shì, to regard）	最信任（xìnrèn, to trust）的助手（zhùshǒu, assistant）
可以把这个项目分	几个部分（bùfen, part）来做

11 10万件 可 不是个小数目！

上个星期我一直加班（jiā bān, to work overtime），	忙了
周末去那儿玩儿的人	真多
她们公司的规模（guīmó, scale）	真不小
价格条款（tiáokuǎn, clause, provision, article）	是谈判双方最看重（kànzhòng, to think highly of）的

12 我们的做工、产品质量 是 一般的厂家比不上 的。

我们公司	10年前成立（chénglì, to establish）
这份合同	和那个公司签订
这么好的东西到底	在哪儿买
拿下订单不	那么简单

13 不过如果双方都让一步，更 利于 达成协议。

常和客户保持（bǎochí, to maintain, to keep）联系	进一步合作
时时关注（guānzhù, to pay close attention to）同行（tóngháng, of the same trade or business）企业的发展情况	本（běn, one's own）企业的成长
你这么紧张，不	面试（miànshì, to interview）
少吃多运动	健康（jiànkāng, healthy）

14 综合来看， 其实我们的价格比别处报的还便宜。

你说说	哪家的产品更符合我们公司的要求
总的来说	他的谈判经验还是很丰富的
我看	这次你没有把握好机会
据说	康爱丽对他们公司很不满意

九 完成对话。
Complete the dialogues.

1 A：今天能不能有谈判结果？
B：还不清楚（qīngchu, clear），________________。（把握）

2 A：谈判对手（duìshǒu, adversary）太强了，我真不知道怎么应付（yìngfu, to cope with）。
B：________________。（原则）

3 A：你们的技术怎么样？
B：________________。（领先）

4 A：再让一点儿行吗？
B：没有老板的同意，________________。（恐怕）

5 A：这一次我们可拿到了一个好价格！
B：那当然。全靠________________！（亲自）

6 A：________________？（效率）
B：真不好意思，昨天我病了。

十 扩展训练。
Expansion drills.

请根据 A 已有的内容，选择下面的词语补充 B 的内容。
Please complete B based on A with the following words.

1. 互利　突出　涨　做工　厉害　接洽

A:	B:
1. 你对这个项目了解不了解？	不太清楚。这事都是……
2. 这样做对我们双方都有利。	那当然，……

（续表）

A:	B:
3. 这三个厂中，他们厂各方面最合适。	是啊，……
4. 你们销售部的那个小王可真能干（nénggàn, competent）！	他可不是最……
5. 这两天股市（gǔshì, stock market）怎么样了？	……
6. 这两件衣服看起来一样，价钱怎么差了这么多？	您仔细看看，……

2. 生存　保证　恐怕　货比三家　听听看　技巧

A:	B:
1. 这批货你们能按时运到吗？	请放心，……
2. 想让对方接受我方的意见不太容易。	没错儿，要懂得（dǒngde, to understand, to know）……
3. 我认为（rènwéi, to think）这样做有几个好处（hǎochu, advantage）。	是吗？说来……
4. 你们不能按时交货吗？	……
5. 由于人类的破坏（pòhuài, to destroy），世界上的动物种类（zhǒnglèi, species）越来越少了。	可不是，……
6. 对不起，我还想多去几个店（diàn, shop, store）看看。	没关系，……

3. 协议　综合　一致　是……的　比不上　让

A:	B:
1. 唉！一说到孩子的教育（jiàoyù, education），我和他爸爸就说不到一起。	这样孩子可管（guǎn, to discipline）不好！父母（fùmǔ, parents）一定要……
2. 来公司工作以前，要办什么手续？	要和我们……

（续表）

A:	B:
3. 这把椅子（yǐzi, chair）旧是旧了点儿，可是质量比现在市场上卖的都好。	就是，现在的东西……
4. 你再优惠一点儿吧。	咱们是老朋友，……
5. 昨天怎么不通知（tōngzhī, to notify）我去接你？	太麻烦了，火车……
6. 只看商品的质量不行，还要考虑价格和售后服务（shòuhòu fúwù, after-sale service）。	可不是，……

十一 阅读理解。
Reading comprehension.

（一）

康爱丽和小钱参观完华美服装加工厂后，谈判双方约好半小时后见面谈判。沈厂长和赵经理先碰了一下头，交换了意见。赵经理了解到，康爱丽对市场和中国文化都很了解，是个专业经理人，法方这次比较了几家加工厂，对华美很满意。由于从联系到谈判时间都非常短，因此，沈厂长他们知道，对方要货很急，只要自己突出加工质量和时间的保证，并且坚持原则，掌握分寸，就能达到互惠互利的目的。

besides

生词 Shēngcí New Words

1. 碰头	pèng tóu	V//O	to meet
2. 交换	jiāohuàn	V	to exchange
3. 专业	zhuānyè	Adj	professional
4. 经理人	jīnglǐrén	N	manager
5. 因此	yīncǐ	Conj	so, therefore
6. 互惠	hùhuì	V	to have mutual benefit
7. 目的	mùdì	N	purpose

回答问题：

Answer the questions:

1 谈判前沈厂长和赵经理做了什么？

2 赵经理对康爱丽了解多少？

3 为什么华美厂知道康爱丽她们要货很急？

4 沈厂长他们打算怎么做？

（二）

谈判时，康爱丽表示这一次她们先做来样加工，做10万件男式全棉茄克。卖方按照给老客户的价格给她们报了价。但是，康爱丽觉得，她们的订单数量较大，沈厂长应该降低报价，并提出长期合作的意向。而卖方也说明立场，解释说目前成本不断上涨，而且他们的产品本身有很大的优势，所以，他们的报价还是非常有竞争力的。最后，双方都作了让步，以每件5.5美元成交，前提是华美厂要提前交货。

生词 Shēngcí New Words

1. 表示	biǎoshì	V	to show, to express
2. 卖方	màifāng	N	seller
3. 数量	shùliàng	N	amount
4. 降低	jiàngdī	V	to reduce
5. 立场	lìchǎng	N	position
6. 上涨	shàngzhǎng	V	to rise
7. 本身	běnshēn	Pr	oneself
8. 成交	chéng jiāo	V//O	to make a deal
9. 前提	qiántí	N	premise

回答问题：

Answer the questions:

1 康爱丽要华美厂做什么？

2 华美厂的报价康爱丽满意吗？为什么？

③ 沈厂长他们提出报价的理由是什么？他们的报价还是非常竞争力的。

④ 最后他们达成协议了吗？请具体谈谈。双方都作了步：以每件5.5美元成交，和华美厂要提前交货。

十二 完成任务。
Complete the tasks.

1. 模拟谈判前的准备会议。
   Simulate the preparatory meeting before the negotiation.
   (1) 表演：Role playing:
   几个人一组，A组扮演采购方，B组扮演供货方，确定采购哪种产品。两组分别召开一次谈判前的准备会议，完成一段对话。
   Students work in two groups with several members in each group. Suppose Group A is the purchaser and Group B the supplier and decide which product they are going to trade. Each of the two groups holds a preparatory meeting before the negotiation and complete a dialogue.
   (2) 讨论：Discussion:
   不参加表演的同学要注意表演者哪些方面有问题、哪些方面表现得好，给出理由和建议，并发表自己的感想。
   Students who are not participatinig in the role playing may observe and comment on the performers, expressing their opinions, suggestions and feelings.

2. 模拟谈判：Simulative negotiation:
   (1) A、B 两组一起根据第 1 题的内容进行谈判。谈判内容包括：
   Group A and Group B have a negotiation based on Question 1. The negotiation includes:
   ① 如何引入话题。A small talk leading to the topic.
   ② 重点讨论价格问题。Discussions focusing on the price.
   ③ 双方在充分了解市场的基础上，坚持自己的立场。
   Both parties know a lot about the market and adhere to their respective positions.
   ④ 双方达成一致意见。The two parties reach an agreement.

(2) 对话完成后，两个组的人一起说说这次谈判成功和不足的地方。
After the dialogue, the two groups discuss something good and something not so good they did during the negotiation.

第三单元
UNIT 3

支付方式
Method of payment

课文 Text	题目 Title	注释 Notes
一	现在谈谈支付方式吧 Now let's talk about the method of payment	1. 副词"实际上" The adverb "实际上" 2. 插入语"说实话" The parenthesis "说实话" 3. 介词"随着" The preposition "随着" 4. 介词"对于" The preposition "对于" 5. 名词解释:"付款交单"、"电汇" Explanation of nouns "付款交单" and "电汇" 6. 指示代词"这样"(复习) The demonstrative pronoun "这样" (Review) 7. 连词"等"(复习) The conjunction "等" (Review)
二	信用证 Letter of credit	

Xiànzài Tántan Zhīfù Fāngshì ba
现在谈谈支付方式吧

课文一 Text 1 Now let's talk about the method of payment

康爱丽、小钱和沈厂长、赵经理等人继续谈判，谈支付方式的问题。

● 康爱丽：现在谈谈支付方式吧。

○ 赵经理：我方希望采用不可撤销即期信用证的方式。

● 康爱丽：信用证是很安全，但是相当复杂。

○ 沈厂长：很抱歉，我们和新客户打交道都是用这种方式。

● 赵经理：实际上，这种方式能保护我们买卖双方。

○ 康爱丽：说实话，开信用证必须向银行交付押金和手续费，这是要占用资金的。

● 小　钱：你们能接受远期信用证吗？推迟付款日期，见票后60天付款。

○ 赵经理：抱歉！这会占用我们的资金。我们不能接受这种方式。

● 沈厂长：随着合作的深入，我们会考虑用别的更有利于双方的付款方式。

○ 赵经理：对于一些长期合作、资信比较好的客户，我们提供的结算方式有付款交单和电汇。

● 康爱丽：既然这样，我们这次就采用不可撤销即期信用证的支付方式吧。

○ 赵经理：我方能提供的单据有：商业发票、海运提单、原产地证、保险单据、质检报告……

● 康爱丽：单证齐全，很好。

○ 赵经理：请贵方务必在货物装运前 30 天开出信用证。

● 小　钱：没问题，我们一接到贵方的货物备妥通知就马上开证。

○ 赵经理：请注意信用证的内容要和合同内容完全相符，以避免不必要的修改。

● 康爱丽：好，我们是很守信用的。

○ 赵经理：那我们再谈谈包装、保险的条款吧。

（谈判结束。）

● 康爱丽：等合同文本准备好，我们就可以签约了。

○ 沈厂长：好的！

● 赵经理：合同签订以后，我们会抓紧时间生产的。

○ 康爱丽：（握手）合作愉快！

● 沈厂长：合作愉快！

※•※

Kāng Àilì、Xiǎo Qián hé Shěn chǎngzhǎng、Zhào jīnglǐ děng rén jìxù tánpàn，tán zhīfù fāngshì de wèntí.

● Kāng Àilì: Xiànzài tántan zhīfù fāngshì ba.

○ Zhào jīnglǐ: Wǒ fāng xīwàng cǎiyòng bùkě chèxiāo jíqī xìnyòngzhèng de fāngshì.

● Kāng Àilì: Xìnyòngzhèng shì hěn ānquán，dànshì xiāngdāng fùzá.

○ Shěn chǎngzhǎng: Hěn bàoqiàn，wǒmen hé xīn kèhù dǎ jiāodao dōu shì yòng zhè zhǒng fāngshì.

● Zhào jīnglǐ: Shíjìshang，zhè zhǒng fāngshì néng bǎohù wǒmen mǎi mài shuāngfāng.

○ Kāng Àilì: Shuō shíhuà，kāi xìnyòngzhèng bìxū xiàng yínháng jiāofù yājīn hé shǒuxùfèi，zhè shì yào zhànyòng zījīn de.

● Xiǎo Qián: Nǐmen néng jiēshòu yuǎnqī xìnyòngzhèng ma? Tuīchí fù kuǎn rìqī，jiàn piào hòu liùshí tiān fù kuǎn.

○ Zhào jīnglǐ: Bàoqiàn! Zhè huì zhànyòng wǒmen de zījīn. Wǒmen bù néng jiēshòu zhè zhǒng fāngshì.

● Shěn chǎngzhǎng: Suízhe hézuò de shēnrù，wǒmen huì kǎolǜ yòng bié de gèng yǒulì yú shuāngfāng de fù kuǎn fāngshì.

○ Zhào jīnglǐ: Duìyú yìxiē chángqī hézuò、zīxìn bǐjiào hǎo de kèhù，wǒmen tígōng de jiésuàn fāngshì yǒu fù kuǎn jiāo dān hé diànhuì.

● Kāng Àilì: Jìrán zhèyàng，wǒmen zhè cì jiù cǎiyòng bùkě chèxiāo jíqī xìnyòngzhèng de zhīfù fāngshì ba.

○ Zhào jīnglǐ: Wǒ fāng néng tígōng de dānjù yǒu: shāngyè fāpiào、hǎiyùn tídān、yuánchǎndìzhèn、bǎoxiǎn dānjù、zhìjiǎn bàogào……

● Kāng Àilì: Dān zhèng qíquán，hěn hǎo.

○ Zhào jīnglǐ: Qǐng guì fāng wùbì zài huòwù zhuāngyùn qián sānshí tiān kāichū xìnyòngzhèng.

● Xiǎo Qián: Méi wèntí，wǒmen yì jiēdào guì fāng de huòwù bèituǒ tōngzhī jiù mǎshàng kāi zhèng.

○ Zhào jīnglǐ: Qǐng zhùyì xìnyòngzhèng de nèiróng yào hé hétong nèiróng wánquán xiāng fú，yǐ bìmiǎn bú bìyào de xiūgǎi.

- ● Kāng Àilì: Hǎo, wǒmen shì hěn shǒu xìnyòng de.
- ○ Zhào jīnglǐ: Nà wǒmen zài tántan bāozhuāng、bǎoxiǎn de tiáokuǎn ba. (Tánpàn jiéshù.)
- ● Kāng Àilì: Děng hétong wénběn zhǔnbèi hǎo, wǒmen jiù kěyǐ qiānyuē le.
- ○ Shěn chǎngzhǎng: Hǎo de!
- ● Zhào jīnglǐ: Hétong qiāndìng yǐhòu, wǒmen huì zhuājǐn shíjiān shēngchǎn de.
- ○ Kāng Àilì: (wòshǒu) Hézuò yúkuài!
- ● Shěn chǎngzhǎng: Hézuò yúkuài!

※ • ※

Alice and Xiao Qian continue the negotiation with Mr. Shen the director of the factory and his sales manager Mr. Zhao about the method of payment.

- ● Alice: Now let's talk about the method of payment.
- ○ Zhao: We hope to adopt irrevocable L/C at sight.
- ● Alice: L/C is safe, but rather complicated.
- ○ Shen: I'm sorry, but we always adopt this method of payment with our new customers.
- ● Zhao: In fact, this method will protect both parties.
- ○ Alice: Frankly speaking, to open L/C we must pay the bank deposit and handling charge, which will take up some funds.
- ● Xiao Qian: Can you accept usance L/C? Postpone the date of payment, payable 60 days after sight.
- ○ Zhao: I'm sorry, but that will surely take up our funds. We cannot accept that.
- ● Shen: With further development of our cooperation, we will consider other methods of payment to benefit both.
- ○ Zhao: For long-term customers with good credit standing, we would adopt the following two methods of settlement: documents against payment and telegraphic transfer.
- ● Alice: In that case, let's adopt irrevocable L/C at sight this time.
- ○ Zhao: The documents we can provide are: commercial invoice, ocean bill of

lading, certificate of origin, insurance documents, quality testing report…

- ● Alice: The documents are complete, which is good.
- ○ Zhao: Please make sure to open your L/C 30 days before shipment.
- ● Xiao Qian: No problem. As soon as we receive your notice of readiness for goods, we'll open our L/C.
- ○ Zhao: Please make sure the content of L/C be identical to that of the contract to avoid unnecessary modifications.
- ● Alice: All right. We always keep our words.
- ○ Zhao: Then let's talk about the terms of packaging and insurance.

(The negotiation comes to the end.)

- ● Alice: We can sign the contract when it is ready.
- ○ Shen: Good!
- ● Zhao: We will lose no time in our production after signing the contract.
- ○ Alice: (Shaking hands) I wish a pleasant and fruitful cooperation!
- ● Shen: Me too!

生词 Shēngcí New Words

1. 采用	cǎiyòng	V	to adopt
2. 不可撤销即期信用证	bùkě chèxiāo jíqī xìnyòngzhèng		irrevocable L/C at sight
不可	bùkě	V	cannot
撤销	chèxiāo	V	to revoke
即期	jíqī	Adj	immediate
信用证	xìnyòngzhèng	N	L/C (letter of credit)
3. 安全	ānquán	Adj	safe
4. 打交道	dǎ jiāodao		to contact with
5. 实际上	shíjìshang	Adv	in fact
6. 必须	bìxū	Adv	must

Spoken language — 取关 better for formal lang.

7. 押金	yājīn	N	deposit
8. 手续费	shǒuxùfèi	N	handling charge
9. 占用	zhànyòng	V	to take up
10. 资金	zījīn	N	fund, capital
11. 远期信用证	yuǎnqī xìnyòngzhèng		usance L/C
远期	yuǎn qī		at a specified future date
12. 推迟	tuīchí	V	to postpone
13. 日期	rìqī	N	date
14. 随着	suízhe	Prep	with
15. 资信	zīxìn	N	credit standing
16. 结算	jiésuàn	V	to settle an account
17. 付款交单	fù kuǎn jiāo dān		documents against payment (D/P)
18. 电汇	diànhuì	V	telegraphic transfer (T/T)
19. 单据	dānjù	N	document
20. 商业	shāngyè	N	commerce
21. 海运	hǎiyùn	V	ocean shipping
22. 提单	tídān	N	bill of lading
23. 原产地证	yuánchǎndìzhèng	N	certificate of origin
24. 保险	bǎoxiǎn	N	insurance
25. 质检	zhìjiǎn	N	quality testing
26. 报告	bàogào	N	report
27. 齐全	qíquán	Adj	complete
28. 务必	wùbì	Adv	must
29. 装运	zhuāngyùn	V	to load and transport
30. 货物备妥通知	huòwù bèituǒ tōngzhī		notice of readiness for goods
货物	huòwù	N	goods
31. 开证	kāi zhèng	V O	to open L/C (letter of credit)

32. 避免	bìmiǎn	V	to avoid
33. 守	shǒu	V	to observe, to keep
34. 信用	xìnyòng	N	credit
35. 条款	tiáokuǎn	N	clause, provision, article
36. 文本	wénběn	N	text
37. 抓紧	zhuājǐn	V	to lose no time, to act promptly

注释 Zhùshì Notes

1 实际上，这种方式能保护我们买卖双方。

In fact, this method will protect both parties.

"实际上"，副词，"其实"的意思，表示事实、实际情况，多有转折的意思。在句中可作状语，也可以作为插入语使用。例如：

"实际上" is an adverb meaning "in fact", indicating the truth or the real situation. In most cases it is used to indicate a transition. It can serve as an adverbial or a parenthesis in a sentence. For example,

① 他说他知道，实际上并不知道。
② 这本书计划三个月写完，实际上只用了两个月。
③ 她看上去40多岁了，实际上才32岁。
④ 实际上，我对他的表现（biǎoxiàn, performance）不太满意。
⑤ 小张说他去法国留学了，实际上，他去德国的公司工作了。

2 说实话，开信用证必须向银行交付押金和手续费，……

Frankly speaking, to open L/C we must pay the bank deposit and handling charge, ...

"说实话"，插入语，表示说话人要向对方说的是真实的情况、情感或想法。一般用在不想说或不好说的话之前。说话人用不向对方隐瞒真情来显示与对方关系亲近、自己对对方的信任或避免对方不快。也可以用来请对方说出真话。还可以用"说老实话、说实在的、老实说、实话说"等。例如：

"说实话", a parenthesis, indicates the speaker is telling a true condition, feeling or idea. It is generally used before something the speaker doesn't want to say or feels hard to say. With the claim of being frank, the speaker intends to demonstrate a close relationship with or the trust placed upon the other party or to avoid displeasing the other party. It may also be used to invite the other party to tell the truth. The alternatives are "说老实话", "说实在的", "老实说", "实话说", etc. For example,

① 说老实话，我不喜欢小李。
② 说实在的，这是我们第一次和美国人打交道。
③ 老实说，这批货的价格高了点儿。
④ 今天天气这么好，说实话，我真不想上课了，想出去玩儿。
⑤ 说实话，你是不是喜欢李明明？

3 随着合作的深入，我们会考虑用别的更有利于双方的付款方式。
With further development of our cooperation, we will consider other methods of payment to benefit both.

"随着"，介词，带名词或名词短语作宾语，表示动作、行为或事情的发生所依赖的条件。"随"，动词，"跟随"的意思，常带"着"。例如：

"随着" is a preposition followed by a noun or a noun phrase as its object to indicate the condition of the occurrence of some action, behavior or something. "随" is a verb meaning "跟随". It is often followed by "着". For example,

① 随着冬天的临近（línjìn, to draw near），天气越来越冷了。
② 随着经济的发展，人们的生活水平提高了。
③ 随着两国友好（yǒuhǎo, friendly）往来（wǎnglái, to contact）的增多（zēngduō, to increase），两国人民交流（jiāoliú, to communicate）的机会也越来越多。
④ 他随着音乐跳起舞来。

4 对于一些长期合作、资信比较好的客户，……
For long-term customers with good credit standing,...

"对于"，介词，引进对象或事物的关系者。后面可以带名词（短语）、动词（短语）和小句等。"对于"组成的介词短语可以作状语，有时也可以作定语。作定语时，介词短语的后面要加"的"。例如：

"对于" is a preposition introducing an object or something related. It may be followed by a noun (a noun phrase), a verb (a verbal phrase) or a clause, etc. A prepositional phrase with "对于" may serve as an adverbial, or sometimes as an attributive. As an attributive, the prepositional phrase is followed by "的". For example,

① 对于这个问题，赵经理会想办法解决的。
② 她对于去上海工作很感兴趣。

③ 双方都让一步，对于我们的合作是有好处的。

④ 你们的产品质量对于我们的谈判能不能成功起着重要作用。

⑤ 对于和圣兰公司的谈判，沈厂长很重视（zhòngshì, to attach importance to）。

⑥ 对于这几家服装加工厂的生产情况，康爱丽进行（jìnxíng, to carry on）了一些考察。

注意：Note：

（1）表示人和人之间的对待关系，不能用“对于”，只能用“对”。例如：

“对” instead of “对于” is used to indicate to somebody or in relation to somebody. For example,

⑦ 他对于人很热情。（×）

⑧ 他对人很热情。（√）

（2）表示动作的方向和目标，不能用“对于”，要用“向”。例如：

“向” instead of “对于” is used to indicate the direction and objective of an action. For example,

⑨ 卡尔对于我们点了点头就走了。（×）

⑩ 卡尔向我们点了点头就走了。（√）

（3）表示为什么人做什么时，不能用“对于”，要用“给”。例如：

“给” instead of “对于” is used to indicate doing something “for” somebody. For example,

⑪ 你经常对于你的父母打电话吗？（×）

⑫ 你经常给你的父母打电话吗？（√）

5 我们提供的结算方式有付款交单和电汇。

We would adopt the following two methods of settlement: documents against payment and telegraphic transfer.

（1）付款交单：指出口人的交单是以进口人的付款为条件的。即出口人发货后，取得装运单据，委托银行办理托收，并指示银行只有在进口人付清货款后，才能把商业单据交给进口人。出口人可以开具汇票，也可以不开具汇票。如果所交的单据是提货凭证，则当买方拒付时，卖方对货物有控制权。

Documents against payment or D/P: It indicates that the exporter’s documents are subject to the payment of the importer. The exporter delivers the goods to acquire shipping documents, entrust the bank with the collection, and give instructions to the bank that only when the importer effects full payment can it send the documents to the importer. The exporter may or may not draw a bill of exchange. If the submitted document is a delivery document, the seller has control over the goods when the buyer refuses payment.

（2）电汇：在电汇中，汇出行通过拍发加押电报、电传或 SWIFT 来指示汇入行付款。采用电汇方式时，银行占有资金的时间短，费用相对较高，但收款人可迅速收到汇款。

Telegraphic transfer: In telegraphic transfer, the remitting bank instructs the receiving bank to pay through sending encrypted telegraph, telex or SWIFT. With telegraphic transfer, the bank takes up the funds for a shorter time, and the expenses are relatively high, but the payee may receive the remittance quickly.

6 既然这样，我们这次就采用不可撤销即期信用证的支付方式吧。

In that case, let's adopt irrevocable L/C at sight this time.

"这样"，指示代词，代替某种动作或情况，在句中可作主语、谓语、宾语、状语、定语等各种成分。例如：

"这样" is a demonstrative pronoun substituting for a movement or a condition and serving as a subject, a predicate, an object, an adverbial or an attributive, etc. in a sentence. For example,

① 这样不好看。

② 好，咱们就这样吧。

③ 我不喜欢这样，你别说了。

④ 我查了词典，这个字应该这样写。

"这样" 作定语时，后面可加 "的" 修饰名词。名词前没有 "一" 和量词时，"的" 不能省略。例如：

When "这样" is used as an attributive, it can be followed by "的" to modify a noun. "的" cannot be omitted if the noun is not preceded by "一" and a measure word. For example,

⑤ 没想到小王是这样一种人。

⑥ 他就是这样一个不爱说话的人。

⑦ 今天我们要做的是这样几件事情。

⑧ 这样的公司不太多。

⑨ 在这样的地方开展业务不太容易。

"这样" 还可以作为一个小句，复指上文，引起下文。例如：

"这样" may also serve as a clause to refer to what has been said previously and to introduce the following. For example,

⑩ 只有这样，才能把工作做好。

⑪ 王老师讲了两遍，明明又帮我复习了一遍，这样，我才懂了。

⑫ 你说得对，这样才能学好汉语。

7 等合同文本准备好，我们就可以签约了。We can sign the contract when it is ready.

"等"，这里是连词，"等到" 的意思。连词 "等" 和 "等到" 都是用来表示时间条件的。例如：

"等", a conjunction in this case, means "wait…until". Both the conjunctions "等" and "等到" are used to indicate the condition of time. For example,

① 等吃完晚饭（wǎnfàn, supper）再走吧。

② 我想等学校放寒假（hánjià, winter vacation）的时候回国。

③ 等你们商量好了再告诉我。

④ 这件事等开完会（kāi huì, to have a meeting）再说。

⑤ 等到我们去看他，他已经走了。

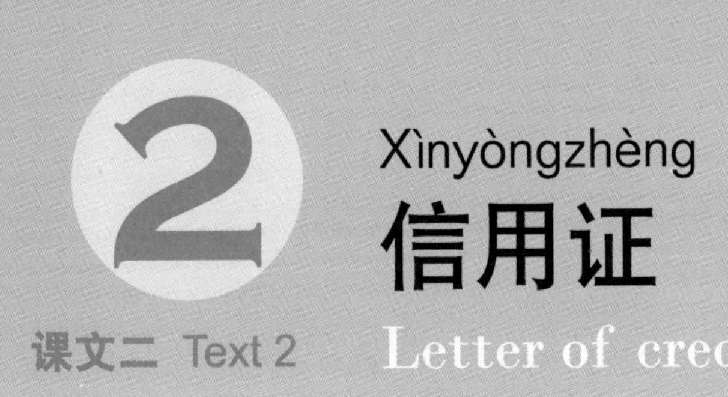

课文二 Text 2

Xìnyòngzhèng 信用证

Letter of credit

样本

MT700	开立跟单信用证
27	1/1
40A 跟单信用证类型	不可撤销跟单信用证
20 信用证号码	LC65G6C099999999
31C 开证日期	____________
31D 有效期和有效地点	____________ 中国
51A 开证行	银行的SWIFT代码
50 开证申请人	____________ 公司
	__________ 信箱 __________ 大街
	____________ 西班牙
	电话 ____________
59 受益人	____________ 公司
	__________ 大街 __________ 号
	青岛，中国
	电话 ____________
32B 货币和金额	USD ____________
41D 指定银行和兑付方式	无指定银行议付
42C 汇票付款日期	即期
42A 汇票付款人	银行的SWIFT代码
43P 分批装运	不允许
43T 转运	允许

44A 装船地点	________港，中国
44B 发运地点	________
44C 最后装船期	________
45A 货物名称	男式西装背心___件 FOB___港___USD___/件
46A 单据要求	

1. 签字的商业发票五份。
2. 一整套清洁已装船提单，抬头为TO ORDER的空白背书，且注明运费已付，通知人为________公司。
   电话：（86）0532-88888888
3. 装箱单/重量单四份，显示每个包装产品的数量/毛净重和信用证要求的包装情况。
4. 由PUBLIC RECOGNIZED SURVEYOR签发的质量证明三份。

※・※

Yàngběn

MT700	Kāilì gēndān xìnyòngzhèng
27	1/1
40A Gēndān xìnyòngzhèng lèixíng	Bùkě chèxiāo gēndān xìnyòngzhèng
20 Xìnyòngzhèng hàomǎ	LC65G6C099999999
31C Kāi zhèng rìqī	________
31D Yǒuxiàoqī hé yǒuxiào dìdiǎn	________ Zhōngguó
51A Kāizhèngháng	Yínháng de SWIFT dàimǎ
50 Kāi zhèng shēnqǐngrén	________ Gōngsī
	________ xìnxiāng ________ Dàjiē
	________ Xībānyá
	Diànhuà ________
59 Shòuyìrén	________ Gōngsī
	________ Dàjiē ________ hào
	Qīngdǎo，Zhōngguó

	Diànhuà ____________
32B Huòbì hé jīn'é	USD ____________
41D Zhǐdìng yínháng hé duìfù fāngshì	Wú zhǐdìng yínháng yìfù
42C Huìpiào fù kuǎn rìqī	Jíqī
42A Huìpiào fùkuǎnrén	Yínháng de SWIFT dàimǎ
43P Fēn pī zhuāngyùn	Bù yǔnxǔ
43T Zhuǎnyùn	Yǔnxǔ
44A Zhuāng chuán dìdiǎn	________________gǎng，Zhōngguó
44B Fāyùn dìdiǎn	________________
44C Zuìhòu zhuāngchuánqī	________________
45A Huòwù míngchēng	Nánshì xīzhuāng bèixīn_______jiàn FOB ______gǎng USD______ / jiàn

46A Dānjù yāoqiú

1. Qiānzì de shāngyè fāpiào wǔ fèn.
2. Yì zhěng tào qīngjié yǐ zhuāng chuán tídān, táitóu wéi to order de kòngbái bèishū, qiě zhùmíng yùnfèi yǐ fù, tōngzhīrén wéi ________________ Gōngsī. Diànhuà: (86) 0532-88888888
3. Zhuāngxiāngdān / zhòngliàngdān sì fèn, xiǎnshì měi ge bāozhuāng chǎnpǐn de shùliàng / máo-jìngzhòng hé xìnyòngzhèng yāoqiú de bāozhuāng qíngkuàng.
4. Yóu PUBIC RECOGNIZED SURVEYOR qiānfā de zhìliàng zhèngmíng sān fèn.

※ • ※

Sample

MT700—ISSUE OF A DOCUMENTARY CREDIT—27:1/1

FORM OF DOCUMENTARY LETTER OF CREDIT	40A: IRREVOCABLE
DOCUMENTARY CREDIT NUMBER	20: LC65G6C099999999
DATE OF ISSUE	31C: ____________
DATE AND PLACE OF EXPIRY	31D: ____________ CHINA
OPENING BANK	51A: BANK SWIFT CODE

APPLICANT	50: ______________ CO. LTD.
	P.O. BOX ______________ STREET,
	__________, ____________ SPAIN
	TEL: ________________
BENEFICIARY	59: __________ CO. LTD.
	NO. ____________________ STREET,
	QINGDAO, CHINA
	TEL: ________________
CURRENCY CODE, AMOUNT	32B: USD ______________
AVAILABLE WITH …BY…	41D: ANY BANK IN CHINA BY NEGOTIATION
DRAFTS AT…	42C: AT SIGHT
DRAWEE	42A: BANK SWIFT COOE
PARTIAL SHIPMENT	43P: NOT ALLOWED
TRANSHIPMENT	43T: ALLOWED
LOADING/DISPATCH/TAKING IN CHARGE/FM	44A: ____________________ PORT, CHINA
FOR TRANSPORTATION TO…	44B: __________, __________
LATEST DATE OF SHIPMENT	44C: ________________
DESCRIPTION OF GOODS/SERVICES	45A: WESKIT
	UNIT PRICE: USD FOB PORT, CHINA
QUANTITY:	______________ PIECES
DOCUMENTS REQUIRED:	46A:

1. SIGNED COMMERCIAL INVOICE IN 5 COPIES.
2. FULL SET OF CLEAN ON BOARD OCEAN BILLS OF LADING MADE OUT TO ORDER AND BLANK ENDORSED, MARKED "FREIGHT PREPAID" NOTIFYING ______________ CO. LTD. TEL: (86) 0532-88888888
3. PACKING LIST/WEIGHT MEMO IN 4 COPIES INDICATING QUANTITY/GROSS AND NET WEIGHTS OF EACH PACKAGE AND PACKING CONDITIONS AS CALLED FOR BY THE L/C.
4. CERTIFICATE OF QUALITY IN 3 COPIES ISSUED BY PUBLIC RECOGNIZED SURVEYOR.

生词 Shēngcí New Words

1. 开立	kāilì	V	to issue
2. 跟单信用证	gēndān xìnyòngzhèng		documentary L/C
跟单	gēndān	N	documentary
3. 类型	lèixíng	N	type
4. 不可撤销跟单信用证	bùkě chèxiāo gēndān xìnyòngzhèng		irrevocable documentary letter of credit
5. 有效期	yǒuxiàoqī	N	date of expiry
6. 有效	yǒuxiào	V	to be valid, to be effective
7. 地点	dìdiǎn	N	place
8. 开证行	kāizhèngháng	N	opening bank
9. 代码	dàimǎ	N	code
10. 申请人	shēnqǐngrén	N	applicant
11. 信箱	xìnxiāng	N	mailbox
12. 大街	dàjiē	N	avenue, street
13. 受益人	shòuyìrén	N	beneficiary
14. 货币	huòbì	N	currency
15. 金额	jīn'é	N	amount of money
16. 指定	zhǐdìng	V	to appoint, to authorize
17. 兑付	duìfù	V	to cash
18. 无	wú	V	not have
19. 议付	yìfù	V	to negotiate
20. 汇票	huìpiào	N	draft
21. 付款人	fùkuǎnrén	N	drawee, payer
22. 分批	fēn pī	V O	to be in batches
23. 允许	yǔnxǔ	V	to allow
24. 转运	zhuǎnyùn	V	to tranship

25. 装船	zhuāng chuán	V O	to ship, to lade
26. 发运	fāyùn	V	to ship, to dispatch
27. 装船期	zhuāngchuánqī	N	date of shipment
28. 男式	nánshì	Adj	men's
29. 背心	bèixīn	N	vest
30. 整	zhěng	Adj	full
31. 清洁	qīngjié	Adj	clean
32. 已	yǐ	Adv	already
33. 抬头	táitóu	N	space on receipts, bills, etc. for names of the payee or buyer, etc.
34. 空白	kòngbái	Adj	blank
35. 背书	bèishū	N	endorsement
36. 且	qiě	Conj	and
37. 注明	zhùmíng	V	to mark
38. 运费	yùnfèi	N	freight
39. 装箱单	zhuāngxiāngdān	N	packing list
40. 重量单	zhòngliàngdān	N	weight memo
重量	zhòngliàng	N	weight
41. 数量	shùliàng	N	quantity, amount
42. 毛净重	máo-jìngzhòng		gross and net weight
毛重	máozhòng	N	gross weight
净重	jìngzhòng	N	net weight
43. 情况	qíngkuàng	N	situation, circumstance
44. 签发	qiānfā	V	to issue
45. 证明	zhèngmíng	N	certificate

专有名词 Zhuānyǒu Míngcí Proper Nouns

1. 西班牙	Xībānyá	Spain
2. 青岛	Qīngdǎo	a major city in eastern Shandong Province of China

练习 Liànxí Exercises

一 跟读生词，注意发音和声调。
Read the new words after the teacher and pay attention to your pronunciation and tones.

二 跟读课文，注意语音语调。
Read the texts after the teacher and pay attention to your pronunciation and intonation.

三 学生分组，分角色朗读课文一。
Divide the students into groups and read Text 1 in roles.

四 学生分组，不看书，分角色表演课文一。
Divide the students into groups and play the roles in Text 1 without referring to the book.

五 角色扮演。（提示：角色可以互换。）
Role playing. (Note: the roles can be exchanged.)

两人一组，分别扮演谈判的双方，讨论采用哪一种支付方式：不可撤销即期信用证还是远期信用证。一方选择其中的一种，并说明原因；另一方拒绝接受，并说明原因。最后双方都作出让步，达成一致。请使用课文中的词语和句子。

Students work in pairs and act as the two sides of the negotiation respectivety. They discuss which method of payment they are going to use: irrevocable letter of credit at sight or usance letter of credit. One party chooses one of the methods and explains why; the other party refuses to accept it and also explains why. At last, both parties make a concession and reach an agreement. Please use the words and sentences in the text.

六 替换练习。
Substitution drills.

1 实际上，这种方式能保护我们买卖双方。

很多国外（guówài, overseas）品牌（pǐnpái, brand）的
产品都是中国制造（zhìzào, to make）的
她的权力（quánlì, power）不是很大
我们还有许多地方需要改善（gǎishàn, to improve）
这两个人不是我们公司的

2 说实话，开信用证必须向银行交付押金和手续费。

不合理（hélǐ, reasonable）的事情还有很多呢
他不太适合这份工作
我只见过他两次
你跟她熟悉不熟悉

3 随着合作的深入，我们会考虑用别的付款方式。

时间的推移（tuīyí, (time) to pass）	很多事情我都忘记（wàngjì, to forget）了
工作的调动（diàodòng, to transfer）	我来到了这个城市
习惯（xíguàn, habit）的改变	他开始喜欢早睡早起（zǎo shuì zǎo qǐ, early to bed and early to rise）了
气温的下降（xiàjiàng, to drop）	蔬菜的价格开始上涨

4 对于一些长期合作、资信比较好的客户，我们会选择其他方式结算。

这次的金融危机	他们有什么看法（kànfǎ, opinion）
这批服装的付款方式	我们希望能再讨论一下
任何（rènhé, any）企业来说	产品的质量都是最重要的
这家公司的生产能力	我们还要再考察一下

5 等合同文本准备好，我们就可以签约了。

不忙再去吧
经理回来就知道了
客户投诉（tóusù, to complain）就晚了
检测（jiǎncè, to check, to test）报告出来再说

七 用下面的词语组成句子。
Make sentences with the following words and expressions.

课文一

1 希望　我方　信用证　不可撤销　即期　采用　方式　的

2 和　打交道　新客户　方式　这种　都是　我们　用

3 方式　能　这种　保护　双方　买卖　我们

4 吗　能　您　远期　接受　信用证

5 会　资金　我们　占用　这　的

6 贵方　请　开出　在　货物　30天　装运前　务必　信用证

7 马上　的　我们　货物备妥通知　贵方　一接到　就　开证

8 是　我们　信用　守　很　的

八 选词填空。
Choose the words to fill in the blanks.

1. 押金　手续费　占用　即期　打交道　复杂　推迟

1 没想到进外企（wàiqǐ, foreign company）工作这么（　　）！

2 我方认为不可撤销（　　）信用证的方式是最好的。

3 我们常常和政府（zhèngfǔ, government）部门（　　）。

4 只要交了（　　）就可以随时租用（zūyòng, to rent）汽车。

5 电汇的（　　）高不高？

6 这个项目会（　　）我们很多资金，一定要小心（xiǎoxīn, careful）。

7 不是说今天吗？为什么会议（huìyì, meeting）时间（　　）了？

2. 务必　马上　避免　远期　采用　守信用　资信

1 别着急，请（　　）听我们解释。

2 放心吧，我了解到他们的（　　）非常好。

3 说话客气可以（　　）很多问题。

4 （　　）信用证要到什么时候才能收回货款呀？

5 就（　　）这种销售策略（cèlüè, strategy）吧。

6 既然他们不（　　），我们就不要继续（jìxù, to continue）合作了。

7 还有半个小时就要谈判了，请陈经理（　　）来会议室！

3. 申请人　有效期　指定　分批　受益人　允许　空白　运费

1 那种牛奶的（　　）是24小时。

2 （　　）写在这儿，（　　）写在那儿，别写错了。

3 我们不同意（　　）装运。

4 从天津到北京的（　　）只要20块。

5 康爱丽（　　）环球（huánqiú, earth, the whole world）公司为他们的中国总代理。

6 这不是小问题，我们不能（　　）自己出一点儿错。

7 找一张（　　）的纸，我说你写。

九 用所给词语完成下面的句子或对话。

Complete the following sentences or dialogues with the given words or expressions.

1. 但是

1 他是好人（hǎorén, a nice person），____________________。

2 东西是____________________，____________________。

3 放假旅游是__________，__________。

4 买后才发现有问题是__________，__________。

2. 务必

1 明天是周一，请__________。

2 你到上海后__________，要不然妈妈会担心的。

3 如果你不来，__________。

4 请__________，再晚我就走了。

3. 结束

1 今天的谈判太顺利了，__________。

2 这个学期（xuéqī, semester）__________？

3 他没等我说完，就__________。

4 他只上到中学（zhōngxué, middle school）就__________。

4. 抓紧

1 A：这个我喜欢，那个我也喜欢。

B：__________，选一个最喜欢的就行了。

2 A：他人怎么样？

B：不错。心地（xīndì, heart）好，人又很上进（shàngjìn, to be self-motivated）。

A：那就__________，别把机会让给别人了。

3 A：会议几点开始？

B：3：00。现在已经2：50了，我们要__________！

十 完成任务。
Complete the tasks.

1. 查阅资料：Search the information:

(1) 两人一组，课下查阅资料，找一找国际贸易中常用的支付方式有哪些，它们对应的中文名字是什么。每组至少找两种。

Students work in pairs after class to search the information on the usual methods of payment in international trade and their corresponding Chinese names. Each group is supposed to find at least two methods.

(2) 列表对比你们查到的支付方式的特点，两人一起说说每一种方式适用的贸易情况，并向老师和同学介绍。

Make a list of what you have found and compare the characteristics of the methods of payment you found. Students work in pairs and discuss in which trade situation each payment method is adopted. Then, make a presentation to your teacher and classmates.

2. 问题调查（提示：可以单独调查，也可以几个人一组共同调查）：

Investigate the following questions (Note: You can either work on your own or with several other classmates):

(1) 你们国家的公司或工厂在对外贸易中一般采用什么样的支付方式？为什么？

What payment methods are usually adopted in foreign trade by companies or factories in your country? Why?

(2) 中国的公司或工厂在对外贸易中一般采用什么样的支付方式？为什么？

What payment methods are usually adopted by Chinese companies or factories in foreign trade? Why?

(3) 把调查到的情况向老师和同学介绍一下。

Report your findings to your teacher and classmates.

第四单元
UNIT 

索赔
Lodging a claim

课文 Text	题目 Title	注释 Notes
一	我方决定提出索赔 We have decided to lodge a claim	1. 介词"于"表示时间 The preposition "于" indicating time 2. 连词"此外"（复习） The conjunction "此外" (Review) 3. 连词"及" The conjunction "及" 4. 介词"按照" The preposition "按照" 5. 副词"就是" The adverb "就是"
二	总部让我负责索赔的事 The headquarter has appointed me to handle the claim	1. 插入语"看起来" The parenthesis "看起来" 2. "这样那样"表示虚指 "这样那样" used for non-specific reference 3. 叹词"唉" The interjection "唉" 4. 形容词"头疼" The adjective "头疼"

Wǒ Fāng Juédìng Tíchū Suǒpéi

我方决定提出索赔

课文一 Text 1 We have decided to lodge a claim

华美服装加工厂的沈厂长和销售部赵经理在厂长办公室。

● 赵经理：沈厂长，圣兰公司那批货出问题了！您看，这是他们刚刚发过来的传真，他们提出了索赔的要求。

○ 沈厂长：别急，我先看看。

中国天津华美服装加工厂：

我方11号订单上的10万件男式茄克于2009年7月18日收到。但是，十分遗憾地告诉贵方，我方决定提出索赔。

我方发现，该批货物加工工艺多处不符合要求。部分茄克尺寸不在允许的浮动范围内，扣眼歪斜；染色不够牢固，出现褪色。此外，部分包装也不符合合同的要求，给销售及保存带来了不便。法国巴黎质量检测中心的检测结果表明，贵方的茄克存在严重的质量问题。

因此，按照合同相关条款的规定，我方要求此次加工费降低5%。请于15日内答复。

法国圣兰服装有限公司中国分公司

总经理　康爱丽

2009年7月28日

附：质量检测报告

（沈厂长看过传真后。）

○ 沈厂长：这批货在出口前他们不是已经检验合格了吗？你去把留存的样品和成品拿过来。

（赵经理取来样品和成品后，又回到厂长办公室。）

○ 沈厂长：怎么样？质量有问题吗？

● 赵经理：您看，质量没问题，就是包装有点儿粗糙。对了，这家法国的质检中心不是合同约定的质检部门啊！

○ 沈厂长：既然这样，那我方就没有过错，我们不能对损失负责。

● 赵经理：好，我现在就给他们发传真，拒绝赔偿。

○ 沈厂长：对了，语气上要客气一些，以后还要合作的。

● 赵经理：好，我这就去写。

※·※

Huáměi Fúzhuāng Jiāgōngchǎng de Shěn chǎngzhǎng hé xiāoshòubù Zhào jīnglǐ zài chǎngzhǎng bàngōngshì.

● Zhào jīnglǐ: Shěn chǎngzhǎng, Shènglán Gōngsī nà pī huò chū wèntí le! Nín kàn, zhè shì tāmen gānggāng fā guolai de chuánzhēn, tāmen tíchūle suǒpéi de yāoqiú.

○ Shěn chǎngzhǎng: Bié jí, wǒ xiān kànkan.

Zhōngguó Tiānjīn Huáměi Fúzhuāng Jiāgōngchǎng:

Wǒ fāng shíyī hào dìngdān shang de shíwàn jiàn nánshì jiākè yú èr líng líng jiǔ nián qīyuè shíbā rì shōudào. Dànshì, shífēn yíhàn de gàosu guì fāng, wǒ fāng juédìng tíchū suǒpéi.

Wǒ fāng fāxiàn, gāi pī huòwù jiāgōng gōngyì duō chù bù fúhé yāoqiú. Bùfen jiākè chǐcùn bú zài yǔnxǔ de fúdòng fànwéi nèi, kòuyǎn wāixié; rǎnsè bú gòu láogù, chūxiàn tuìshǎi. Cǐwài, bùfen bāozhuāng yě bù fúhé hétong de yāoqiú, gěi xiāoshòu jí bǎocún dàiláile búbiàn. Fǎguó Bālí zhìliàng jiǎncè zhōngxīn de jiǎncè jiéguǒ biǎomíng, guì fāng de jiākè cúnzài yánzhòng de zhìliàng wèntí.

Yīncǐ, ànzhào hétong xiāngguān tiáokuǎn de guīdìng, wǒ fāng yāoqiú cǐ cì jiāgōngfèi jiàngdī bǎi fēnzhī wǔ. Qǐng yú shíwǔ rì nèi dáfù.

Fǎguó Shènglán Fúzhuāng Yǒuxiàn Gōngsī Zhōngguó Fēngōngsī
Zǒngjīnglǐ Kāng Àilì
Èr líng líng jiǔ nián qīyuè èrshíbā rì

Fù: Zhìliàng Jiǎncè Bàogào

(Shěn chǎngzhǎng kànguo chuánzhēn hòu.)

○ Shěn chǎngzhǎng: Zhè pī huò zài chūkǒu qián tāmen bú shì yǐjīng jiǎnyàn hégé le ma? Nǐ qù bǎ liúcún de yàngpǐn hé chéngpǐn ná guolai.

(Zhào jīnglǐ qǔlái yàngpǐn hé chéngpǐn hòu, yòu huídào chǎngzhǎng bàngōngshì.)

○ Shěn chǎngzhǎng: Zěnmeyàng? Zhìliàng yǒu wèntí ma?

● Zhào jīnglǐ: Nín kàn, zhìliàng méi wèntí, jiùshì bāozhuāng yǒudiǎnr cūcāo. Duì le, zhè jiā Fǎguó de zhìjiǎn zhōngxīn bú shì hétong yuēdìng de zhìjiǎn bùmén a!

○ Shěn chǎngzhǎng: Jìrán zhèyàng, nà wǒ fāng jiù méiyǒu guòcuò, wǒmen bù néng duì sǔnshī fùzé.

● Zhào jīnglǐ: Hǎo, wǒ xiànzài jiù gěi tāmen fā chuánzhēn, jùjué péicháng.

○ Shěn chǎngzhǎng: Duì le, yǔqì shang yào kèqi yìxiē, yǐhòu hái yào hézuò de.

● Zhào jīnglǐ: Hǎo, wǒ zhè jiù qù xiě.

※ • ※

Mr. Shen the director of Huamei Garment Processing Factory and Mr. Zhao the sales manager are in Shen's office.

● Zhao: Mr. Shen, something's gone wrong with the goods for Shenglan Company! Look, this is the fax they've just sent us and they have lodged a claim.

○ Shen: Don't worry. Let me take a look.

Huamei Garment Processing Factory of Tianjin, China

We have received on July 18, 2009 the 100,000 men's jackets under Order No. 11. However, we are sorry to inform you that we have decided to lodge a claim against your company.

We have discovered that the processing workmanship of the said goods was not in compliance with the standards in many ways. The size discrepancy for some of the jackets goes beyond the permissible tolerance; crooked buttonholes; the color dyeing is not solid enough and color fading appears. In addition, the packaging for some of the jackets didn't meet the contract requirement, which caused much inconvenience to the selling and storing. The test results by the French quality inspection center indicate that a serious quality problem exists in the jackets processed by your factory.

Therefore, in accordance with the contract terms, we now require a decrease of the processing fees by 5%. Please replay within 15 days.

Alice Clement
General Manager
France Shenglan Garment (China) Co. Ltd.
July 28, 2009

Attached: Quality Inspection Report

(After Mr. Shen reads the fax ...)

○ Shen: Hadn't this batch of goods passed quality inspection before being exported? Just bring here the reserved samples and the finished products.

(Mr. Zhao gets the samples and finished products and returns to Shen's office.)

○ Shen: So, is there anything wrong with the quality?

● Zhao: Look, the quality is OK, except the packaging is a bit coarse. Right, the French quality inspection center is not the quality inspection department stipulated in the contract.

○ Shen: In that case, it's not our fault; we are not responsible for the loss.

● Zhao: OK, I will fax them immediately, expressing our rejection to their claim.

○ Shen: Well, be polite in tone; after all we will need to cooperate with them.

● Zhao: OK, I'll do that at once.

生词 Shēngcí New Words

1. 决定	juédìng	V	to decide don't add 了
2. 提出	tíchū	V	to put forward
3. 索赔	suǒpéi	V	to claim
4. 刚刚	gānggāng	Adv	just
5. 遗憾	yíhàn	Adj	sorry about a situation

抱歉 - you did something wrong

6. 该	gāi	Pr	this, these
7. 符合	fúhé	V	to be in compliance with
8. 部分	bùfen	N	part
9. 尺寸	chǐcùn	N	size, measurement
10. 浮动	fúdòng	V	to fluctuate
11. 范围	fànwéi	N	scope, range
12. 扣眼	kòuyǎn	N	buttonhole
13. 歪斜	wāixié	Adj	crooked
14. 染色	rǎnsè	V	to dye
15. 牢固	láogù	Adj	firm
16. 褪色	tuì shǎi	V//O	to fade
17. 及	jí	Conj	and
18. 保存	bǎocún	V	to store
19. 不便	búbiàn	Adj	inconvenient
20. 检测	jiǎncè	V	to inspect
21. 表明	biǎomíng	V	to indicate
22. 因此	yīncǐ	Conj	so, therefore
23. 相关	xiāngguān	V	to be related
24. 规定	guīdìng	V	to stipulate
25. 此	cǐ	Pr	this
26. 降低	jiàngdī	V	to reduce, to lower
27. 答复	dáfù	V	to reply
28. 附	fù	V	to attach
29. 检验	jiǎnyàn	V	to examine, to inspect
30. 合格	hégé	Adj	up to standard
31. 留存	liúcún	V	to reserve
32. 就是	jiùshì	Adv	just, only
33. 粗糙	cūcāo	Adj	coarse

34. 约定	yuēdìng	V	to appoint
35. 部门	bùmén	N	department
36. 既然	jìrán	Conj	since
37. 过错	guòcuò	N	fault
38. 损失	sǔnshī	N	loss
39. 拒绝	jùjué	V	to refuse, to reject
40. 赔偿	péicháng	V	to compensate
41. 语气	yǔqì	N	tone
42. 客气	kèqi	Adj	polite

注释 Zhùshì Notes

1 我方11号订单上的10万件男式茄克于2009年7月18日收到。

We have received on July 18, 2009 the 100,000 men's jackets under Order No. 11.

"于"，介词，这里表示时间。这时，"于"可以放在动词后，也可以放在动词前。基本结构：谓语动词＋"于"＋时间（短语），"于"＋时间（短语）＋谓语动词。例如：

"于" is a preposition used to indicate time. In this case, "于" can be used before or after a verb. The basic structure is: predicate verb + "于" + time (time phrase) or "于" + time (time phrase) + predicate verb. For example,

① 他生于1996年。
② 这家公司成立于1985年。
③ 新产品发布会已于8月30日如期（rúqī, as scheduled）举行（jǔxíng, to hold）。
④ 贵公司的来信（láixìn, letter）已于昨日收到。

2 此外，部分包装也不符合合同的要求。

In addition, the packaging for some of the jackets didn't meet the contract requirement.

"此外"，连词，引出除了上面所说的之外的事物或情况。"此外"用于连接分句和句子，常用在书面语中。"此外"后面是肯定形式时，表示除了所说的之外，还有别的；"此外"后面是否定形式时，表示除了所说的，没有别的。例如：

"此外" is a conjunction meaning "in addition to" something mentioned above. "此外" connects clauses and sentences and is usually used in written Chinese. An affirmative sentence after "此外" indicates there's still something else in addition to what has been said; a negative one after "此外" indicates there's nothing else. For example,

① 他的桌子上放着电脑，此外，还有几本书。

② 墙上挂着他们的结婚照（jiéhūnzhào, wedding photo），此外，再没有别的了。

③ 他们这次来北京参观了故宫、长城、颐和园（Yíhé Yuán, Summer Palace），此外，还买了很多礼物。

3 部分包装也不符合合同的要求，给销售及保存带来了不便。

The packaging for some of the jackets didn't meet the contract requirement, which caused much inconvenience to the selling and storing.

"及"，连词，连接并列的名词或名词短语，"和"的意思。常用在书面语中。连接三项以上的内容时，前面的各个内容之间用顿号，"及"用在最后一项的前面。"及"连接几个内容时一般表示这几项同样重要。当"及"的前面为主要的、需要强调的内容时，"及"的后面可以用"其他、一切"等词语来概括。例如：

"及" is a conjunction connecting parallel nouns or noun phrases, meaning "and". It is often used in written Chinese. When it is used to connect more than three items, pause marks are used to connect each preceding item and "及" is used before the last one. In general, when "及" connects several things, it indicates that these things are equally important. When preceded by something important, "及" can be followed by word such as "其他" or "一切". For example,

① 意大利（Yìdàlì, Italy）总统（zǒngtǒng, president）及夫人（fūrén, wife）昨天来中国访问（fǎngwèn, to visit）。

② 我们班的留学生来自（lái zì, to come from）法国、德国、意大利及西班牙。

③ 图书馆里有国际贸易、对外（duìwài, foreign）投资（tóuzī, to invest）、管理学（guǎnlǐxué, management）及其他经济类的书。

④ 那家食品店卖馒头（mántou, steamed bread）、面条、饺子（jiǎozi, dumplings）及其他主食。

4 按照合同相关条款的规定，我方要求此次加工费降低5%。

In accordance with the contract terms, we now require a decrease of the processing fees by 5%.

"按照"，介词，"根据、依照"的意思。用来提出一种标准，表示动作的依据。后面常带双音节名词（短语）、动词（短语）或小句，组成介词结构，作状语。例如：

"按照" is a preposition meaning "based on" or "in accordance with". It is used to raise a standard as the basis of the action. It often forms a preposition structure with the following disyllabic noun or noun phrase, verb (verbal phrase) or clause, serving as an adverbial. For example,

① 按照要求，这个学期我们要学习300个生词。
② 按照合同的第三条，你们应该对我们进行赔偿。
③ 按照我们在广交会上签订的合同，你们应该在10天后交货。
④ 我们会按照贵公司的样品加工这批服装。

注意：“按照”不能带单音节的名词宾语。例如：

Note：“按照” cannot be followed by a monosyllabic noun as its object. For example,

⑤ 我们一定会按照质按照量完成任务。（×）
⑥ 我们一定会按质按量完成任务。（√）
⑦ 请你按照时交房租。（×）
⑧ 请你按时交房租。（√）

5 您看，质量没问题，就是包装有点儿粗糙。
Look, the quality is OK, except the packaging is a bit coarse.

“就是”，副词，确定范围，排除其他。例如：

“就是” is an adverb to define a range and exclude others. For example,

① 这种产品非常适合老人（lǎorén, the aged）使用，就是价格有点儿贵。
② 这种支付方式挺好的，就是会占用我们的资金。
③ 那个加工厂的生产工艺不错，就是不能提前交货。

课文二 Text 2

Zǒngbù Ràng Wǒ Fùzé Suǒpéi de Shì
总部让我负责索赔的事
The headquarter has appointed me to handle the claim

今天，康爱丽和几个朋友约好傍晚去运动，可是由于处理索赔的事情，她下班晚了，到运动场的时候已经迟到了20分钟。见面后他们聊了起来。

● 康爱丽：对不起！来晚了。

○ 李明明：没关系，先喝口水。

● 卡　尔：爱丽，你今天看起来精神不太好，是不是工作压力太大了？

○ 康爱丽：是有点儿压力。我们在天津加工的那批货出了点儿问题。

● 李明明：怎么回事儿？

○ 康爱丽：货物的品质和包装跟合同规定的不符。

● 卡　尔：你们做进出口的，一般不是“出口国检验、进口国复验”吗？

○ 康爱丽：就是复验发现了问题。总部让我负责索赔的事。

● 卡　尔：那就是卖方违约了。而且这里面也没有不可抗力的原因。

○ 康爱丽：是啊。

● 李明明：现在怎么样了？

○ 康爱丽：虽然他们公司很积极地和我们协商，但双方的分歧还是很大。

● 卡　尔：合作嘛，总会有这样那样的问题。别太着急了。

○ 康爱丽：如果争议的问题通过协商还不能解决，我们就要考虑诉讼的方式了。

● 李明明：别打官司呀！可以申请仲裁，也可以请第三者调解嘛。中国人最讲究"和气生财"了！

○ 康爱丽：我也不想提出诉讼。这种方式程序复杂，处理问题慢。

● 李明明：而且费用高，还不利于今后贸易关系的发展。

○ 康爱丽：唉，真让人头疼！

● 卡　尔：国际合作越来越多，贸易纠纷增多也很正常。

○ 李明明：看来合同的签订还不能代表成功。

● 卡　尔：合同的顺利履行往往会受到很多业务环节的影响。

○ 康爱丽：是啊。不说了，咱们去打球吧。

※ • ※

Jīntiān, Kāng Àilì hé jǐ ge péngyou yuēhǎo bàngwǎn qù yùndòng, kěshì yóuyú chǔlǐ suǒpéi de shìqing, tā xiàbān wǎn le, dào yùndòngchǎng de shíhou yǐjīng chídàole èrshí fēnzhōng. Jiànmiàn hòu tāmen liáole qǐlai.

● Kāng Àilì:　　Duìbuqǐ! Láiwǎn le.

○ Lǐ Míngming: Méi guānxi, xiān hē kǒu shuǐ.

● Kǎ'ěr: Àilì, nǐ jīntiān kàn qilai jīngshén bú tài hǎo, shì bu shì gōngzuò yālì tài dà le?

○ Kāng Àilì: Shì yǒu diǎnr yālì. Wǒmen zài Tiānjīn jiāgōng de nà pī huò chūle diǎnr wèntí.

● Lǐ Míngming: Zěnme huí shìr?

○ Kāng Àilì: Huòwù de pǐnzhì hé bāozhuāng gēn hétong guīdìng de bùfú.

● Kǎ'ěr: Nǐmen zuò jìn-chūkǒu de, yìbān bú shì "chūkǒuguó jiǎnyàn、jìnkǒuguó fùyàn" ma?

○ Kāng Àilì: Jiùshì fùyàn fāxiànle wèntí. Zǒngbù ràng wǒ fùzé suǒpéi de shì.

● Kǎ'ěr: Nà jiù shì màifāng wéiyuē le. Érqiě zhè lǐmian yě méiyǒu bùkěkànglì de yuányīn.

○ Kāng Àilì: Shì a.

● Lǐ Míngming: Xiànzài zěnmeyàng le?

○ Kāng Àilì: Suīrán tāmen gōngsī hěn jījí de hé wǒmen xiéshāng, dàn shuāngfāng de fēnqí háishi hěn dà.

● Kǎ'ěr: Hézuò ma, zǒng huì yǒu zhèyàng nàyàng de wèntí. Bié tài zháojí le.

○ Kāng Àilì: Rúguǒ zhēngyì de wèntí tōngguò xiéshāng hái bù néng jiějué, wǒmen jiù yào kǎolǜ sùsòng de fāngshì le.

● Lǐ Míngming: Bié dǎ guānsi ya! Kěyǐ shēnqǐng zhòngcái, yě kěyǐ qǐng dìsānzhě tiáojiě ma. Zhōngguó rén zuì jiǎngjiu "héqi shēng cái" le!

○ Kāng Àilì: Wǒ yě bù xiǎng tíchū sùsòng. Zhè zhǒng fāngshì chéngxù fùzá, chǔlǐ wèntí màn.

● Lǐ Míngming: Érqiě fèiyong gāo, hái bú lìyú jīnhòu màoyì guānxi de fāzhǎn.

○ Kāng Àilì: Ài, zhēn ràng rén tóuténg!

● Kǎ'ěr: Guójì hézuò yuè lái yuè duō, màoyì jiūfēn zēngduō yě hěn zhèngcháng.

○ Lǐ Míngming: Kànlái hétong de qiāndìng hái bù néng dàibiǎo chénggōng.

● Kǎ'ěr: Hétong de shùnlì lǚxíng wǎngwǎng huì shòudào hěn duō yèwù huánjié de yǐngxiǎng.

○ Kāng Àilì: Shì a. Bù shuō le, zánmen qù dǎ qiú ba.

※ • ※

Alice has an appointment with several of her friends to do sports together in the evening. Having to deal with the claim, she finishes her work rather late, so when she arrives at the sports field, she is 20 minutes late. They begin to talk.

● Alice: Sorry, I'm late.

○ Li Mingming: Never mind. Just have a drink first.

● Karl: Alice, you seem to be in low spirits today. Is it because of the work pressure?

○ Alice: Sort of. Something's gone wrong with the goods processed in Tianjin.

● Li Mingming: What is the matter?

○ Alice: The quality and packaging are not in conformity with the contract stipulations.

● Karl: In your business of import and export, isn't it a general practice that the inspection of the exporting country is followed by the re-inspection of the importing country?

○ Alice: It's just in the re-inspection we found the problem. The headquarter has appointed me to handle the claim.

● Karl: Then it's the seller that breached the contract and it is not caused by force majeure.

○ Alice: You are right.

● Li Mingming: How is it going now?

○ Alice: Though they're actively negotiating with us, the differences between the two parties are still very large.

● Karl: There are always problems in cooperation. Don't worry!

○ Alice: If the dispute cannot be resolved through negotiation, we'll consider lawsuit.

● Li Mingming: Don't go to the court! You may apply for arbitration. And you may invite a "third party" to be your mediator. The Chinese people are particular about "harmony brings wealth".

○ Alice: I don't want to file a lawsuit, either. It's complicated in procedure and slow in finding a solution.

● Li Mingming: And it's expensive, detrimental to the future development of trade relations.

○ Alice: Alas, it gives me headaches!

● Karl: With more international cooperation, it's pretty normal to have more trade disputes.

○ Li Mingming: So it seems signing a contract doesn't mean success.

● Karl: The execution of a contract is often affected by many operational procedures.

○ Alice: Indeed. Forget it. Let's play the ball.

生词 Shēngcí **New Words**

1. 口	kǒu	M	*a measure word*
2. 精神	jīngshén	N	spirit
3. 品质	pǐnzhì	N	quality
4. 不符	bùfú	V	not to conform to
5. 出口国	chūkǒuguó	N	exporting country
6. 进口国	jìnkǒuguó	N	importing country
7. 复验	fùyàn	V	to re-inspect, to check again
8. 卖方	màifāng	N	seller
9. 违约	wéi yuē	V//O	to breach a contract
10. 不可抗力	bùkěkànglì	N	force majeure
11. 原因	yuányīn	N	reason
12. 积极	jījí	Adj	active
13. 协商	xiéshāng	V	to negotiate
14. 分歧	fēnqí	N	difference
15. 争议	zhēngyì	N	dispute
16. 解决	jiějué	V	to resolve
17. 考虑	kǎolǜ	V	to consider

18. 诉讼	sùsòng	V	to file a lawsuit
19. 打官司	dǎ guānsi		to go to the court
20. 仲裁	zhòngcái	V	to arbitrate
21. 第三者	dìsānzhě	N	third party
22. 调解	tiáojiě	V	to mediate
23. 讲究	jiǎngjiu	V	to be particular about, to pay special attention to
24. 和气生财	héqi shēng cái		harmony brings wealth
25. 程序	chéngxù	N	procedure
26. 处理	chǔlǐ	V	to handle, to dispose of
27. 费用	fèiyong	N	charge, cost, expense
28. 发展	fāzhǎn	V	to develop
29. 唉	ài	Int	alas
30. 头疼	tóuténg	Adj	headache
31. 纠纷	jiūfēn	N	dispute
32. 增多	zēngduō	V	to increase
33. 正常	zhèngcháng	Adj	normal
34. 看来	kànlái	V	it seems
35. 履行	lǚxíng	V	to fulfil
36. 环节	huánjié	N	link

注释 Zhùshì Notes

1 你今天看起来精神不太好。You seem to be in low spirits today.

"看起来"，插入语，表示说话人对情况的估计、推测。也可以说"看来"。例如：

"看起来" is a parenthesis indicating the estimation or presumption of the speaker. "看起来" is equivalent to "看来". For example,

① 看起来这家公司不小。
② 新主管（zhǔguǎn, supervisor）看起来非常能干。
③ 看起来，只是口才好是不够的，谈判时还要知己知彼。
④ 看来他们是不会让步的。

2 合作嘛，总会有这样那样的问题。There are always problems in cooperation.

"这样"、"那样"并列使用，表示虚指，可以作定语、状语。"这样"、"那样"都是指示代词。例如：

"这样" and "那样" are used in juxtaposition for non-specific reference. They can be used as an attribute or adverbial. Both of them are demonstrative pronouns. For example,

① 客户常常会提这样那样的要求。
② 他们虽然有这样那样的意见，但是最后还是同意了。
③ 你可以这样那样地解释这个问题，不过答案（dá'àn, answer）只有一个。

3 唉，真让人头疼！ Alas, it gives me headaches!

"唉"，叹词，表示叹息、伤感或惋惜，常用在句首。有时候也表示提醒。例如：

"唉" is an interjection indicating a sign, sentiment or pity and is usually put at the beginning of a sentence. It is sometimes used to express a reminder. For example,

① 唉！我新买的手机又丢了。
② 唉！病了几天，把工作都耽误（dānwu, to delay）了。
③ 唉，这真是一个巨大的损失啊！

4 真让人头疼！ It gives me headaches!

"头疼"，形容词，表示因为对某事拿不出好的解决办法而感到为难，"很烦恼"的意思。例如：

"头疼" is an adjective, indicating somebody feels upset and worried because he cannot find a good solution to the problem. For example,

① 每天都要加班，真让人头疼！
② 每张订单都有这么多的麻烦，真让人头疼！
③ 这次的加工任务太急了，真让人头疼！

练习 Liànxí Exercises

一 跟读生词，注意发音和声调。
Read the new words after the teacher and pay attention to your pronunciation and tones.

二 跟读课文，注意语音语调。
Read the texts after the teacher and pay attention to your pronunciation and intonation.

三 学生分组，分角色朗读课文一、二。
Divide the students into groups and read Texts 1 & 2 in roles.

四 学生分组，不看书，分角色表演课文一、二。
Divide the students into groups and play the roles in Texts 1 & 2 without referring to the book.

五 角色扮演。(提示：角色可以互换。)
Role playing. (Note: the roles can be exchanged.)

两人一组，参考课文一、二，分别扮演索赔的双方，进行对话。一方给出问题，另一方进行答复。

Students work in pairs and have a dialogue as a claimant and a claimee respectively referring to Text 1 and Text 2. One asks a question, and the other one answers it.

六 复述课文一和课文二。
Retell Texts 1 & 2.

七 用下面的词语组成句子。
Make sentences with the following words and expressions.

课文一

1 货物 批 要求 多处 该 不符合 加工工艺

2 的 问题 茄克 贵方 严重 存在 质量 的

3 要求 5% 加工费 此次 降低 我方

4 把 样品 你去 过来 留存的 拿 和 成品

5 这批货　吗　他们　已经　不是　了　合格　检验

6 能　不　我们　对　负责　损失

7 他们　我　给　发　就　传真　现在

8 对了　一些　客气　语气　要　上

课文二

1 今天　太　看起来　精神　好　你　不

2 工作　了　是　压力　大　不是　太

3 货　我们的　问题　点儿　出了　那批

4 复验　就是　问题　了　发现

5 原因　不可抗力　啊　没有　也　的

6 可以　第三者　嘛　请　调解

7 不　今后　关系　利于　这　发展　贸易　的

8 纠纷　很　贸易　也　增多　正常

9 不能　签订　合同　代表　还　看来　成功　的

10 很多　顺利履行　会受到　影响　往往　业务环节　合同的　的

八 替换练习。
Substitution drills.

1 10万件男式茄克 于 2009年7月18日收到。

他的爷爷（yéye, grandpa）已	5年前去世（qùshì, to pass away）了
新的汽车展览馆（zhǎnlǎnguǎn, exhibition hall）将	下周一正式（zhèngshì, official）对外开放（kāifàng, to open up）
这篇（piān, *a measure word*）股评（gǔpíng, review of the stock market）发表（fābiǎo, to publish）	今天早晨
此次博览会（bólǎnhuì, expo）闭幕（bì mù, to close）	10月3日

2 这给销售 及 保存 带来了不便。

课文一、二	课后练习	都需要掌握
高血压（gāoxuèyā, high blood pressure）、糖尿病（tángniàobìng, diabetes）	心脏病（xīnzàngbìng, heart disease）	是老年人常得的三种病
蔬菜	水果	对我们的健康都有好处
签订	履行合同	都很重要

3 按照 合同相关条款的规定， 我方要求此次加工费降低5%。

他说的	从这儿走最近
公司的规定	我们应该先向经理请示（qǐngshì, to ask for instructions）
中国的法律（fǎlǜ, law）	你们不能继续留在中国
身高	排好队

4 质量没问题， 就是 包装有点儿粗糙。

康爱丽人不错	太好强（hàoqiáng, to be eager to do well in everything）了
他对这家公司很满意	周六不能休息他不太习惯
爬山是一项很好的运动	不适合身体不好的人
这儿的东西品种挺多的	没有我喜欢的

5 你今天 看起来 精神不太好。

你们公司	经营（jīngyíng, to run, to manage, to operate）得很不错
按时交货	没问题
这种点心	很好吃
总部设在这儿	是对的

6 总会有 这样那样的 问题。

迟到时他总能找出	理由
客服中心（kèfú zhōngxīn, service center）	顾客
总要面对（miànduì, to face）	
决定做就不要怕（pà, to fear）	困难（kùnnan, difficulty）
她喜欢买	项链（xiàngliàn, necklace）

九 完成对话。
Complete the dialogues.

1 A：你觉得他们公司怎么样？

B：我____________________。（发现）

2 A：这批货真贵！

B：当然了，____________________。（品质）

3 A：我们来调查一下：这个学生平时喜欢做什么？

B：______________________________。（该）

4 A：我们保证10天内______________________________。（答复）

B：时间太长了，今天不解决我们就不走了。

5 A：解决商务纠纷的四种方式是什么？

B：协商、调解、______________________________。（诉讼、第三者）

6 A：你的手是不是受伤了？

B：没关系，已经去______________________________。（处理）

7 A：他们公司准备打官司。

B：那可不好，你们可不能让事情______________________________。（严重）

8 A：我是孩子的爸爸。

B：那你就要______________________________。（负责）

9 A：新工作不好吗？

B：挺好的，就是______________________________。（压力）

10 A：______________________________。（精神）

B：是呀，我昨晚没睡好。

11 A：这是我的一点儿心意（xīnyì, regard, good will），______________________________。（拒绝）

B：可是礼物太贵重（guìzhòng, expensive）了！

12 A：他们说早就发货了，可是我们就是没收到。

B：别急，______________________________。（争议）

13 A：我能问一下这次不能合作的原因吗？

B：对不起，您好像______________________________。（符合）

14 A：现在我还不想原谅（yuánliàng, to forgive）他。

B：别坚持了，______________________________。（过错）

15 A：他怎么不理（lǐ, to take notice of）我了？

B：______________________________。（语气）

十 扩展训练
Expansion drills.

请根据 A 或 B 已有的内容补充对话。

Complete the dialogues according to the statement in A or B.

1. 表明自己的观点，给出不同的意见。要求：双方的语气都很坚定。

Both parties expressed their viewpoints and opinions. And they are both very firm in their tones.

A:	B:
1. 我们发现到货不是我们订的。	怎么可能？……
2. ……	我们虽然收到了货物，但是太晚了，因此我们不能付款。
3. ……	发货晚是因为贵方多次更改（gēnggǎi, to change）样式。
4. 这项费用我们不能支付。	……
5. 货物到达时已经受潮（shòu cháo, to get damp），你们应该赔偿。	……
6. ……	如果贵方拒绝赔偿，那我们会采用其他方式。
7. ……	可是包装是你们自己挑选（tiāoxuǎn, to select）的。
8. ……	贵方的要求我们无法（wúfǎ, cannot）答应。
9. 抱歉！我们对此也没有办法。	……

2. A 语气较为客气地询问并要求解释。B 说明事实，解释情况，积极答复，并给出解决的办法。

A politely inquires B and asks him for explanations. B explains the fact and situations, responses positively, and provides a solution.

A:	B:
1. 花了这么多钱买的，一点儿也不能用。你说怎么办？	……
2. ……	我们可以保证货物质量没有问题。

（续表）

A:	B:
3. 你们为什么一再（yízài, again and again）推迟交货日期？	……
4. 这是我们的索赔资料。	……
5. ……	请放心，我们会尽快解决的。
6. 你们什么时候给我们答复？	……
7. 这个问题你们有什么好的解决办法吗？	……
8. ……	行，我们愿意请他出面（chū miàn, to appear personally）为我们调解。
9. ……	我们对解决办法比较满意。
10. ……	既然你们都道歉（dào qiàn, to apologize）了，我们就不再说什么了。

十一 阅读理解。
Reading comprehension.

（一）

一天，法国圣兰服装公司的总经理康爱丽给中国华美服装加工厂发去一份传真，提出她们收到的货物出现了很严重的质量问题，中方给她们公司带来了巨大的经济损失，要求对方降价。收到传真后，中方认真对比了样品和成品，没有发现大的质量问题。中方认为对方在出口前已经检验过货物并确定合格了，所以提出的索赔条件不成立。因此，中方立刻给法方回复了传真，语气很客气，但态度很明确，清楚地表明了卖方的立场：拒绝赔偿。

生词 Shēngcí New Words

1. 巨大	jùdà	Adj	huge
2. 认真	rènzhēn	Adj	serious, conscientious
3. 态度	tàidu	N	attitude
4. 明确	míngquè	Adj	clear

1. 回答问题：

Answer the questions:

1 康爱丽为什么给华美厂发传真？她要做什么？

2 华美厂收到索赔传真后做了什么？

3 华美厂愿意赔偿吗？理由是什么？

4 中方给法方发了一份什么样的传真？表明了他们什么样的立场？

2. 请根据上面的资料，帮华美厂写一封拒绝赔偿的信。

Write a letter for Huamei Factory to refuse the claim based on the above information.

（二）

康爱丽为了索赔的事，与华美厂联系了好几次。但是由于双方的看法很不一致，这几天来一直也没有一个满意的结果。她为此很头疼，一连几个晚上都加班到很晚。有一次，因为加班，她和朋友见面都迟到了。朋友们了解到她最近的工作压力后，纷纷开导她，并且给了她很多很好的建议。李明明劝她不要打官司，因为中国人认为“和气生财”，一打官司就把“财”打跑了。卡尔的工作经验很丰富，他要康爱丽理智地对待这件事，他认为在贸易往来中一定会有纠纷，这是很正常的。虽然朋友们并没有帮助康爱丽解决问题，但还是给了她很多启发。

生词 Shēngcí New Words

1. 一连	yìlián	Adv	in succession
2. 纷纷	fēnfēn	Adv	one after another
3. 开导	kāidǎo	V	to persuade
4. 劝	quàn	V	to advise
5. 理智	lǐzhì	Adj	reasonable
6. 对待	duìdài	V	to treat
7. 启发	qǐfā	V	to inspire

1. 回答问题：

Answer the questions:

1. 康爱丽为什么和华美厂联系了好几次？
2. 联系后有没有满意的结果？为什么？
3. 朋友们听说康爱丽最近有麻烦后做了什么？请具体谈谈。
4. 康爱丽觉得朋友们说的对她有帮助吗？

2. 复述短文内容。

Retell the passage.

十二 完成任务。

Complete the tasks.

课文二中说："看来合同的签订还不能代表成功"，请讨论：

It says in Text 2 that "看来合同的签订还不能代表成功". Please discuss:

(1) 贸易的进口方和出口方在合同签订后，还可能会出现哪些问题？

What problems may arise after the importer and exporter sign a contract?

(2) 你们国家的贸易公司遇到这些问题后一般会怎么做？中国的贸易公司遇到这些问题后一般又会怎么做？

How do the companies in your country usually respond to these problems? Or how do Chinese companies usually respond to these problems?

要求：Requirements:

(1) 几个人一组，共同调查。把调查到的情况记录下来。

Group research. Write down the research findings.

(2) 完成调查后，把调查结果在课堂上向大家报告一下。每组可以选出一名代表作总结发言，也可以几个人分工，分别介绍。

After the research, please report your findings to the class. Each group may select a representative to give a summary, or several group members may cooperate in making the presentation.

合同 Contract

课文 Text	题目 Title	注释 Notes
一	售货确认书 Sales confirmation	1. “以……为……” 2. 助词“所” The particle “所” 3. 助词“者” The particle “者”
二	买卖合同 Contract	1. 动词“凭” The verb “凭” 2. 介词“根据” The preposition “根据”

1 Shòuhuò Quèrènshū 售货确认书

课文一 Text 1 Sales confirmation

交易双方经过商谈达成协议后，就可以订立合同。订立合同的形式包括书面、口头和用行为表示三种。其中采用书面形式的最多。在国际贸易中，合同的名称和格式没有统一的规定。采用什么样的合同格式，可以由买卖双方根据贸易习惯做法或双方的意愿来决定。

售货确认书

编号：＿＿＿＿＿＿

商号：＿＿＿＿＿＿　　日期：＿＿＿＿＿＿

签约地点：＿＿＿＿＿＿

去函／去电

来函／来电

兹确认于＿＿＿＿＿＿按下列条件售予你号下列货物：

货名：＿＿＿＿＿＿

规格：＿＿＿＿＿＿

数量：＿＿＿＿＿＿

单价：＿＿＿＿＿＿

总值：＿＿＿＿＿＿

装运期：＿＿＿＿＿＿

付款条件：保兑、不可撤销、全部发票金额之即期汇票信用证，在天津议付，有效期须延至装运日期后第十五天在中国到期。该信用证不得迟于＿＿＿＿＿＿＿开抵卖方。

包装：＿＿＿＿＿＿＿　　　　唛头：＿＿＿＿＿＿＿

保险：＿＿＿＿＿＿＿

备注：

1. 装运品质及重量以天津商品检验局出具之检验证书为证明并作为最后依据。
2. 许可较所订数量溢短装 5 %依成交价格计算。
3. 全部交易条款以本售货确认书内所规定者为最后依据，信用证内规定之条款及词句必须与此确认书内所规定者相符。

※・※

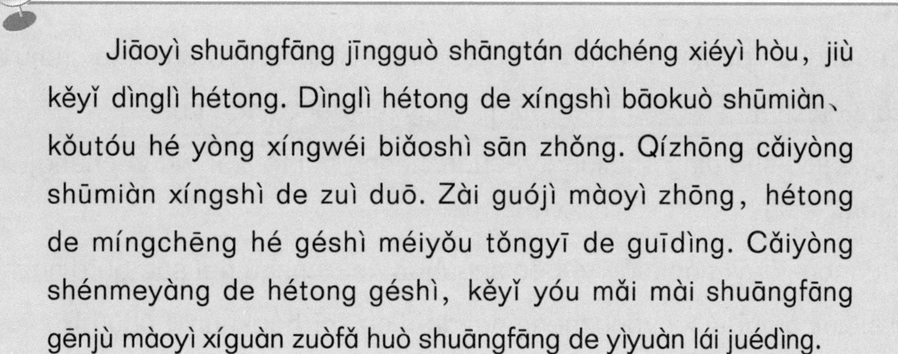

Jiāoyì shuāngfāng jīngguò shāngtán dáchéng xiéyì hòu, jiù kěyǐ dìnglì hétong. Dìnglì hétong de xíngshì bāokuò shūmiàn、kǒutóu hé yòng xíngwéi biǎoshì sān zhǒng. Qízhōng cǎiyòng shūmiàn xíngshì de zuì duō. Zài guójì màoyì zhōng, hétong de míngchēng hé géshì méiyǒu tǒngyī de guīdìng. Cǎiyòng shénmeyàng de hétong géshì, kěyǐ yóu mǎi mài shuāngfāng gēnjù màoyì xíguàn zuòfǎ huò shuāngfāng de yìyuàn lái juédìng.

Shòuhuò Quèrènshū

Biānhào: ___________

Shānghào: ___________ Rìqī: ___________

Qiānyuē dìdiǎn: ___________

qùhán / qùdiàn

láihán / láidiàn

Zī quèrèn yú ___________ àn xiàliè tiáojiàn shòu yǔ nǐ hào xiàliè huòwù:

Huòmíng: ___________

Guīgé: ___________

Shùliàng: ___________

Dānjià: ___________

Zǒngzhí: ___________

Zhuāngyùnqī: ___________

Fù kuǎn tiáojiàn: Bǎoduì、bùkě chèxiāo、quánbù fāpiào jīn'é zhī jíqī huìpiào xìnyòngzhèng, zài Tiānjīn yìfù, yǒuxiàoqī xū yán zhì zhuāngyùn rìqī hòu dì shíwǔ tiān zài Zhōngguó dàoqī. Gāi xìnyòngzhèng bùdé chí yú ___________kāidǐ màifāng.

Bāozhuāng: ___________ Màitóu: ___________

Bǎoxiǎn: ___________

Bèizhù: ___________

1. Zhuāngyùn pǐnzhì jí zhòngliàng yǐ Tiānjīn Shāngpǐn Jiǎnyànjú chūjù zhī jiǎnyàn zhèngshū wéi zhèngmíng bìng zuòwéi zuìhòu yījù.
2. Xǔkě jiào suǒ dìng shùliàng yì-duǎnzhuāng bǎi fēnzhī wǔ yī chéngjiāo jiàgé jìsuàn.
3. Quánbù jiāoyì tiáokuǎn yǐ běn shòuhuò quèrènshū nèi suǒ guīdìngzhě wéi zuìhòu yījù, xìnyòngzhèng nèi guīdìng zhī tiáokuǎn jí cíjù bìxū yǔ cǐ quèrènshū nèi suǒ guīdìngzhě xiāng fú.

A contract may be established after the two parties of a transaction reach an agreement through negotiations. There are three ways to establish a contract, viz., written, verbal or with action. The written form is the most commonly used. There is no unified stipulation concerning the title and format of a contract. The format of a contract may be determined by the two sides according to common practice in trade.

Sales confirmation

No.: ___________

Messrs.: ___________ Date: ___________

Signed at: ___________

Our letter(s) / Cable(s)

Your letter(s) / Cable(s)

Dear Sirs,

We hereby confirm selling to you on ___________the following commodity on terms and conditions as set forth below:

Commodity: ___________

Specification: ___________

Quantity: ___________

Unit Price: ___________

Total Value: ___________

Shipment: ___________

Terms of Payment: By confirmed and irrevocable L/C, for full invoice value. Available by draft at sight. Negotiable in TIANJIN. Valid in CHINA until the 15th (fifteenth) day after date of shipment: The L/C to reach sellers not later than ___________.

Packing: ___________ Mark & Nos.: ___________

Insurance: ___________

Remarks:

1. Shipping quality and weight to be certified by are subject to the inspection certificate issued by Tianjin Commodity Inspection Bureau.

2. Delivery of 5% more or less than the total contract quantity shall be allowed and settled at the contract price.
3. All the terms contained in this sales confirmation are to be deemed as final and the terms as well as wordings to be specified in the L/C shall be strictly in conformity with those as designated in this sales confirmation.

生词 Shēngcí New Words

1. 编号	biānhào	N	No., serial No.
2. 商号	shānghào	N	firm, trade
3. 函	hán	N	letter
4. 电	diàn		cable
5. 兹	zī		hereby
6. 予	yǔ		to give
7. 号	hào	N	firm, trade
8. 下列	xiàliè	Adj	the following
9. 规格	guīgé	N	specification
10. 单价	dānjià	N	unit price
11. 总值	zǒngzhí	N	total value
12. 保兑	bǎoduì	Adj	confirmed
13. 全部	quánbù	N	whole, total
14. 之	zhī	Pt	*used between an attribute and the word it modifies to indicate that one thing belongs to another*
15. 须	xū	V	must, to have to
16. 延	yán	V	to delay
17. 至	zhì	V	to, until

18. 到期	dào qī	V//O	to expire
19. 迟	chí	Adj	late, behind schedule
20. 抵	dǐ	V	to reach
21. 唛头	màitóu	N	shipping mark, mark
22. 备注	bèizhù	N	remark
23. 以……为……	yǐ……wéi……		subject to
24. 出具	chūjù	V	to issue
25. 证书	zhèngshū	N	certificate
26. 并	bìng	Conj	and
27. 作为	zuòwéi	V	to take as
28. 依据	yījù	N	basis, foundation
29. 许可	xǔkě	V	to permit
30. 较	jiào	Prep	than
31. 所	suǒ	Pt	*used before a verb in a subject-predicate structure as a passive marker*
32. 溢短装	yì-duǎnzhuāng		more or less
33. 依	yī	V	to be based on
34. 成交	chéng jiāo	V//O	to close a deal
35. 计算	jìsuàn	V	to count
36. 本	běn	Pr	this
37. 者	zhě	Pt	those who
38. 词句	cíjù	N	words and sentences, expressions
39. 与	yǔ	Prep	with
40. 相符	xiāng fú		in conformity with (something)

专有名词 Zhuānyǒu Míngcí **Proper Noun**

天津商品检验局	Tiānjīn Shāngpǐn Jiǎnyànjú	Tianjin Commodity Inspection Bureau

注释 Zhùshì Notes

1 装运品质及重量以天津商品检验局出具之检验证书为证明。

Shipping quality and weight to be certified by are subject to the inspection certificate issued by Tianjin Commodity Inspection Bureau.

"以……为……"，介词短语，"把……作为，认为……"的意思。"以"，介词。例如：

"以……为……" is a prepositional phrase meaning "take…as, regard…as". "以" is a preposition. For example,

① 我们的索赔要求是以合同为依据的

② 这次参展的厂家以服装生产企业为主。

③ 你应该以事业（shìyè, career）为重。

2 许可较所订数量溢短装5%依成交价格计算。

Delivery of 5% more or less than the total contract quantity shall be allowed and settled at the contract price.

"所"，助词，用在作定语的主谓结构的动词前面，表示中心语是受事。"所"后面的动词必须是及物动词。"所"和动词之间不能加入其他成分。"所"和动词之后可以加"的"，也可以不加。"所＋动词＋的"可以构成名词性短语，这时"所"修饰的中心语可以不出现。例如：

"所" is a particle used before the verb of a subject-predicate structure as an attributive, indicating the central word is a recipient. The verb following "所" must be transitive. No other element is put between "所" and the verb. "的" is optionally used after "所" and the verb. "所+V+的" may become a noun phrase, and the central word modified by "所" may not be used in this case. For example,

① 我所用的方法是最新的。

② 他们所买产品全是我们公司的。

③ 这些是我们在上海的所见所闻（wén, to hear）。

④ 我要把我在这里所听所想的都记下来。

3 全部交易条款以本售货确认书内所规定者为最后依据，信用证内规定之条款及词句必须与此确认书内所规定者相符。

All the terms contained in this sales confirmation are to be deemed as final and the terms as well as wordings to be specified in the L/C shall be strictly in conformity with those as designated in this sales confirmation.

"者"，助词，用在形容词、动词或形容词性词组、动词性词组的后面，表示有此属性或做此动作的人或事物。例如：

"者" is a particle used after an adjective, a verb or an adjectival or verbal phrase. It indicates somebody or something that is of this characteristic. For example,

强者（qiángzhě, the strong）
胜利者（shènglìzhě, winner, conqueror）
作者（zuòzhě, writer）
消费者（xiāofèizhě, consumer）
后者（hòuzhě, the latter）
志愿者（zhìyuànzhě, volunteer）
记者（jìzhě, journalist）
读者（dúzhě, reader）
前者（qiánzhě, the former）

Mǎi Mài Hétong

2 买卖合同

课文二 Text 2 Contract

正本

合　同

编号：________

日期：________

卖方：中国________进出口公司

北京________　电报挂号：

电话：22776 MIMET CN 22246 MIMET CN

22777 MIMET CN 22197 MIMET CN

传真：87654321

买方：

双方同意按下列条款由卖方出售，买方购进下列货物：

(1) 货物名称、规格、包装及唛头	(2) 数量	(3) 单价	(4) 总值
检验：由中国商品检验局出具的品质重量证书作为付款依据。	卖方有权在________%内多装或少装。		

(5) 装运期限

(6) 装运口岸

(7) 目的口岸

(8) 保险：由卖方按发票金额的110%投保。

(9) 付款条件：凭保兑的、不可撤销的、可转让的、可分割的即期信用证在中国见单付款。信用证以卖方为受益人，并允许分批装运和转船，该信用证必须在装运月＿＿＿＿＿＿天前开到卖方，并在装船后在上述装运港继续有效15天。否则卖方无须通知即可有权取消本销售合同，并向买方索赔因此而发生的一切损失。

(10) 单据：卖方应向议付银行提供已装船清洁提单、发票、中国商品检验局或工厂出具的品质证明、中国商品检验局出具的数/重量鉴定书。如果本合同按CIF条件，应再提供可转让的保险单或保险凭证。

(11) 装运条件：载运船只由卖方安排，允许分批装运并允许转船。卖方于货物装船后，应将合同号码、品名、数量、船名、装船日期以电报方式通知买方。

(12) 品质与数量、重量的异议与索赔：货到目的口岸后，买方如发现货物品质及/或数量/重量与合同规定不符，除属于保险公司及/或船公司的责任外，买方可以凭双方同意的检验机构出具的检验证书向卖方提出异议。品质异议须于货到目的口岸之日起30天内提出，数量/重量异议须于货到目的口岸之日起15天内提出。卖方应于收到异议后30日答复买方。

(13) 人力不可抗拒：由于人力不可抗拒事故，使卖方不能在本合同规定期限内交货或者不能交货，卖方不负责任。但卖方必须立即以电报方式通知买方。如买方提出要求，卖方应以挂号函方式向买方提供由中国国际贸易促进委员会或有关机构出具的发生事故的证明文件。

(14) 仲裁：凡因执行本合同或与本合同有关事项所发生的一切争执，应由双方通过友好协商方式解决。如果不能达成协议，则在被告方国家根据被告仲裁机构的仲裁程序规则进行仲裁。仲裁决定是终局的，对双方具有同等的约束力。仲裁费用除非仲裁机构另有决定，均由败诉一方负担。

(15) 备注

卖方：　　　　　　　　　　　　买方：

中国__________进出口公司

※·※

Zhèngběn

Hétong

Biānhào: __________

Rìqī: __________

Màifāng: Zhōngguó__________Jìn-chūkǒu Gōngsī

<table>
<tr><td colspan="4">Běijīng__________ Diànbào guàhào:
Diànhuà: 22776 MIMET CN 22246 MIMET CN
22777 MIMET CN 22197 MIMET CN
Chuánzhēn: 87654321
Mǎifāng:
Shuāngfāng tóngyì àn xiàliè tiáokuǎn yóu màifāng chūshòu, mǎifāng gòujìn xiàliè huòwù:</td></tr>
<tr><td rowspan="2">(1) Huòwù míngchēng、guīgé、bāozhuāng jí màitóu
Jiǎnyàn: Yóu Zhōngguó Shāngpǐn Jiǎnyànjú chūjù de pǐnzhì zhòngliàng zhèngshū zuòwéi fù kuǎn yījù.</td><td>(2) Shùliàng</td><td>(3) Dānjià</td><td>(4) Zǒngzhí</td></tr>
<tr><td colspan="3">Màifāng yǒu quán zài __________% nèi duō zhuāng huò shǎo zhuāng.</td></tr>
<tr><td colspan="4">(5) Zhuāngyùn qīxiàn
(6) Zhuāngyùn kǒu'àn
(7) Mùdì kǒu'àn
(8) Bǎoxiǎn: Yóu màifāng àn fāpiào jīn'é bǎi fēnzhī yìbǎi yīshí tóubǎo.
(9) Fù kuǎn tiáojiàn: Píng bǎoduì de、bùkě chèxiāo de、kě zhuǎnràng de、kě fēngē de jíqī xìnyòngzhèng zài Zhōngguó jiàn dān fù kuǎn. Xìnyòngzhèng yǐ màifāng wéi shòuyìrén, bìng yǔnxǔ fēn pī zhuāngyùn hé zhuǎn chuán, gāi xìnyòngzhèng bìxū zài zhuāngyùnyuè __________ tiān qián kāidào màifāng, bìng zài zhuāng chuán hòu zài shàngshù zhuāngyùngǎng jìxù yǒuxiào shíwǔ tiān. Fǒuzé màifāng wúxū tōngzhī jí kě yǒu quán qǔxiāo běn xiāoshòu hétong, bìng xiàng mǎifāng suǒpéi yīn cǐ ér fāshēng de yíqiè sǔnshī.
(10) Dānjù: Màifāng yīng xiàng yìfù yínháng tígōng yǐ zhuāng chuán qīngjié tídān、fāpiào、Zhōngguó Shāngpǐn Jiǎnyànjú huò gōngchǎng chūjù de pǐnzhì zhèngmíng、Zhōngguó Shāngpǐn Jiǎnyànjú chūjù de shù / zhòngliàng jiàndìngshū. Rúguǒ běn hétong àn CIF tiáojiàn, yīng zài tígōng kě zhuǎnràng de bǎoxiǎndān huò bǎoxiǎn píngzhèng.</td></tr>
</table>

(11) Zhuāngyùn tiáojiàn: Zàiyùn chuánzhī yóu màifāng ānpái, yǔnxǔ fēn pī zhuāngyùn bìng yǔnxǔ zhuǎn chuán. Màifāng yú huòwù zhuāng chuán hòu, yīng jiāng hétong hàomǎ、pǐnmíng、shùliàng、chuánmíng、zhuāng chuán rìqī yǐ diànbào fāngshì tōngzhī mǎifāng.

(12) Pǐnzhì yǔ shùliàng、zhòngliàng de yìyì yǔ suǒpéi: Huò dào mùdì kǒu'àn hòu, mǎifāng rú fāxiàn huòwù pǐnzhì jí / huò shùliàng / zhòngliàng yǔ hétong guīdìng bùfú, chú shǔyú bǎoxiǎn gōngsī jí / huò chuán gōngsī de zérèn wài, mǎifāng kěyǐ píng shuāngfāng tóngyì de jiǎnyàn jīgòu chūjù de jiǎnyàn zhèngshū xiàng màifāng tíchū yìyì. Pǐnzhì yìyì xū yú huò dào mùdì kǒu'àn zhī rì qǐ sānshí tiān nèi tíchū, shùliàng / zhòngliàng yìyì xū yú huò dào mùdì kǒu'àn zhī rì qǐ shíwǔ tiān nèi tíchū. Màifāng yīng yú shōudào yìyì hòu sānshí rì dáfù mǎifāng.

(13) Rénlì bùkě kàngjù: Yóuyú rénlì bùkě kàngjù shìgù, shǐ màifāng bù néng zài běn hétong guīdìng qīxiàn nèi jiāo huò huòzhě bù néng jiāo huò, màifāng bú fù zérèn. Dàn màifāng bìxū lìjí yǐ diànbào fāngshì tōngzhī mǎifāng. Rú mǎifāng tíchū yāoqiú, màifāng yīng yǐ guàhàohán fāngshì xiàng mǎifāng tígōng yóu Zhōngguó Guójì Màoyì Cùjìn Wěiyuánhuì huò yǒuguān jīgòu chūjù de fāshēng shìgù de zhèngmíng wénjiàn.

(14) Zhòngcái: Fán yīn zhíxíng běn hétong huò yǔ běn hétong yǒuguān shìxiàng suǒ fāshēng de yíqiè zhēngzhí, yīng yóu shuāngfāng tōngguò yǒuhǎo xiéshāng fāngshì jiějué. Rúguǒ bù néng dáchéng xiéyì, zé zài bèigàofāng guójiā gēnjù bèigào zhòngcái jīgòu de zhòngcái chéngxù guīzé jìnxíng zhòngcái. Zhòngcái juédìng shì zhōngjú de, duì shuāngfāng jùyǒu tóngděng de yuēshùlì. Zhòngcái fèiyong chúfēi zhòngcái jīgòu lìng yǒu juédìng, jūn yóu bàisù yì fāng fùdān.

(15) Bèizhù

Màifāng: Mǎifāng:

Zhōngguó ____________ Jìn-chūkǒu Gōngsī

ORIGINAL

Contract

The Sellers: CHINA ____________ IMPORT & EXPORT CORPORATION

__________ Beijing   Cable Address: __________ BEIJING

Tel: 22776 MIMET CN 22246 MIMET CN

22777 MIMET CN 22197 MIMET CN

FAX: 87654321

The Buyers:

The Sellers agree to sell and the Buyers agree to buy the undermentioned goods on the terms and conditions stated below:

(1) Name of Commodity, Specifications, Packing Terms and Shipping Marks Inspection: The certificates of the quality and weight issued by China Commodity Inspection Bureau are to be taken as the basis for payment.	(2) Quantity	(3) Unit Price	(3) Total Value
	Shipment __________ % more or less at Sellers' option		

(5) Time of Shipment

(6) Port of Loading

(7) Port of Destination

(8) Insurance: To be effected by the Sellers for 110% of invoice value covering.

(9) Terms of Payment: By confirmed, irrevocable, transferable and divisible letter of credit in favor of the Sellers payable at sight against presentation of shipping documents in China, with partial shipments and transhipment allowed. The covering letter of credit must reach the Sellers __________ days before the contracted month of shipment and remain valid in the above loading port until the 15th day after shipment, failing which the Sellers reserve the right to cancel the contract without notice and to claim against the Buyers for any loss resulting therefrom.

(10) Documents: The Sellers shall present to the negotiating bank clean on board bill of lading, invoice, quality certificate issued by China Commodity Inspection Bureau or the manufacturers, survey report on quantity/weight issued by China Commodity Inspection Bureau, and transferable insurance policy or insurance certificate when this contract is made on CIF basis.

(11) Terms of Shipment: The carrying vessel shall be provided by the Sellers. Partial Shipments and transhipment are allowed. After loading is completed, the Sellers shall notify the Buyers by cable of the contract number, name of commodity, quantity, name of the carrying vessel and date of shipment.

(12) Quality/Quantity Discrepancy and Claim: In case the quality and/or quantity/weight are found by the Buyers to be not in conformity with the contract after arrival of the goods at the port of destination, the Buyers may lodge a claim with the Sellers supported by survey report issued by an inspection organization agreed upon by both parties, with the exception, however, of those claims for which the insurance company and/or the shipping company are to be held responsible. Claim for quality discrepancy should be filed by the Buyers within 30 days after arrival of the goods at the port of destination, while for quantity/weight discrepancy claim should be filed by the Buyers within 15 days after arrival of the goods at the port of destination. The Sellers shall, within 30 days after receipt of the notification of the claim, send reply to the Buyers.

(13) Force Majeure: In case of force majeure, the Sellers shall not be held responsible for late delivery or non-delivery of the goods but shall notify the Buyers by cable. The Sellers shall deliver to the Buyers by registered mail, if so requested by the Buyers, a certificate issued by China Council for the Promotion of International Trade or/and by any competent authorities.

(14) Arbitration: All disputes in connection with this contract or the execution thereof shall be settled by negotiation between two parties. If no settlement can be reached, the case in dispute shall then be submitted for arbitration in the country of defendant in accordance with the arbitration regulations

of the arbitration organization of the defendant country. The decision made by the arbitration organization shall be taken as final and binding upon both parties. The arbitration expenses shall be borne by the losing party unless otherwise awarded by the arbitration organization.

(15) Remarks:

Sellers: Buyers:

CHINA ____________IMPORT & EXPORT CORPORATION

生词 Shēngcí New Words

1. 正本	zhèngběn	N	original
2. 电报	diànbào	N	cable
3. 挂号	guàhào	V//O	to register
4. 同意	tóngyì	V	to agree
5. 出售	chūshòu	V	to sell
6. 有权	yǒu quán	V O	to be entitled (to do sth.), to have the right (to do sth.)
7. 期限	qīxiàn	N	time limit
8. 口岸	kǒu'àn	N	port
9. 目的	mùdì	N	end, place to be reached
10. 投保	tóu bǎo	V//O	to buy insurance
11. 凭	píng	Prep	by, by means of
12. 转让	zhuǎnràng	V	to transfer
13. 分割	fēngē	V	to divide
14. 转船	zhuǎn chuán	V O	to transfer to another ship
15. 上述	shàngshù	Adj	above-mentioned

16. 继续	jìxù	V	to continue
17. 否则	fǒuzé	Conj	otherwise, or, or else
18. 无须	wúxū	Adv	unnecessarily
19. 即	jí	Adv	then, accordingly
20. 取消	qǔxiāo	V	to cancel
21. 而	ér	Conj	*used to connect cause and effect*
22. 发生	fāshēng	V	to give rise to
23. 一切	yíqiè	Pr	all, every
24. 鉴定书	jiàndìngshū	N	surveyor's report, expertise report
25. 凭证	píngzhèng	N	certificate
26. 载运	zàiyùn	V	to carry, to transport
27. 船只	chuánzhī	N	vessel
28. 品名	pǐnmíng	N	name of an article
29. 异议	yìyì	N	discrepancy
30. 除……外	chú……wài		except
31. 责任	zérèn	N	responsibility
32. 机构	jīgòu	N	organization
33. 人力	rénlì	N	manpower
34. 抗拒	kàngjù	V	to resist
35. 事故	shìgù	N	accident
36. 立即	lìjí	Adv	immediately
37. 文件	wénjiàn	N	document
38. 凡	fán	Adv	all, any
39. 执行	zhíxíng	V	to carry out
40. 争执	zhēngzhí	V	to dispute
41. 友好	yǒuhǎo	Adj	friendly
42. 则	zé	Conj	then
43. 被告方	bèigàofāng	N	defendant

方	fāng	N	side, party
44. 根据	gēnjù	V	to be based on
45. 被告	bèigào	N	defendant
46. 规则	guīzé	N	rule
47. 终局	zhōngjú	N	end, outcome
48. 具有	jùyǒu	V	to possess, to have
49. 同等	tóngděng	Adj	equal, as much
50. 约束力	yuēshùlì	N	binding force
51. 除非	chúfēi	Prep	unless
52. 另	lìng	Adv	another, other
53. 均	jūn	Adv	all
54. 败诉	bàisù	V	to lose a lawsuit

专有名词 Zhuānyǒu Míngcí Proper Nouns

1. 中国商品检验局	Zhōngguó Shāngpǐn Jiǎnyànjú	China Commodity Inspection Bureau
2. 中国国际贸易促进委员会	Zhōngguó Guójì Màoyì Cùjìn Wěiyuánhuì	China Council for the Promotion of International Trade

注释 Zhùshì Notes

1 凭保兑的、不可撤销的、可转让的、可分割的即期信用证在中国见单付款。

By confirmed, irrevocable, transferable and divisible letter of credit in favor of the Sellers payable at sight against presentation of shipping documents in China ...

"凭"，动词，"倚靠、倚仗"的意思。可以带名词、动词和小句宾语，不能带补语。例如：

"凭" is a verb meaning "to rely on" or "to depend on". It can be followed by a noun, a verb, or a clause as its object, but it does not take a complement. For example,

① 这次我们能顺利签订合同，全凭大家的努力。

② 这次谈判成功，全凭我们配合（pèihé, to cooperate）得好。

③ 他进这家大公司工作，全凭自己的能力。

④ 他做生意全凭诚信（chéngxìn, honesty and good faith）。

2 ……根据被告仲裁机构的仲裁程序规则进行仲裁。

...in accordance with the arbitration regulations of the arbitration organization of the defendant country.

"根据"，介词，表示以某种事物或动作为前提或基础，后面常跟双音节名词。"根据"后面的动词用作名词，不能带宾语。如果"根据"后面的动词前有表示施事的名词，中间往往加"的"。例如：

"根据" is a preposition indicating "taking something or some action as the prerequisite or basis". It is often followed by a disyllabic noun. The verb after "根据" is used as a noun and cannot be followed by an object. If the verb after "根据" is preceded by a noun indicating the agent, "的" is often used in between. For example,

① 医生根据病人的病情（bìngqíng, patient's condition）给病人开药。

② 根据需要，选择适合自己的产品。

③ 根据我们的了解，这里的长寿（chángshòu, long life）老人很多。

练习 Liànxí Exercises

一 跟读生词，注意发音和声调。
Read the new words after the teacher and pay attention to your pronunciation and tones.

二 跟读课文，注意语音语调。
Read the texts after the teacher and pay attention to your pronunciation and intonation.

三 朗读课文一和课文二。
Read Texts 1 & 2.

四 根据课文内容回答问题。
Answer the questions according to the texts.

课文一

1. 《售货确认书》的基本条款包括哪些？
2. 在“付款条件”中，信用证的有效期是怎么规定的？
3. 装运货物的品质和重量以什么为依据？
4. 全部交易条款的最后依据是什么？
5. 信用证的什么内容必须与确认书的内容相符？

课文二

1. 商品检验的依据是什么？
2. “保险”条款的要求是什么？
3. 卖方在什么情况下有权取消合同并提出索赔？
4. “单据”条款中规定，卖方应提供哪些单据？
5. 装运的条件有哪些？
6. 买方发现哪些问题时可以提出异议？依据是什么？
7. 品质异议什么时候提出？
8. 数量/重量异议什么时候提出？
9. 发生人力不可抗拒的事故时，卖方应该怎么办？
10. 执行合同时如果出现争执，应该如何解决？

五 角色扮演。(提示：角色可以互换。)
Role playing. (Note: the roles can be exchanged.)

两人一组，分别扮演买卖双方，一起商谈《售货确认书》或《买卖合同》应该有哪些条款。

Students work in pairs and discuss which articles should be included in the *Sales confirmation* or the *Contract* as the buyer and the seller respectively.

六 替换练习。
Substitution drills.

1 许可较　所　订　数量　溢短装5%依成交价格计算。

你	说的	问题	很重要
康爱丽	用	方法	又简单又有效
他	遇到的	情况	是经常发生的
我们	合作的	公司	是一家很有名的大公司

2 根据　被告仲裁机构的仲裁程序规则　进行仲裁。

不同的情况	制订不同的计划
学生的要求	改变教学（jiàoxué, teaching）方法
我们的了解，	这种产品很有市场
他们的调查，	那种商品不受欢迎

七 阅读理解。
Reading comprehension.

买卖双方于2010年1月签订了订货合同。合同规定：(1)买方为工程装修，向卖方订购五金零件30万套，总值60万美元，CIF（上海）；（2）卖方必须在3月10号前交货；（3）货物运到目的口岸30天内，如发现货物质量、规格和数量与合同规定的不符，且不是保险公司或船公司的责任，买方可以根据上海商品检验局的检验证书向卖方提出异议。

合同签订后，买方于2010年2月28日收到货物，并没有对货物的数量、规格、质量等提出异议。但买方于2010年6月向卖方提出索赔，称此批零件已由上海商品检验局检验，确认质量不合格，并造成了工程装修的巨大损失。

生词 Shēngcí New Words

1. 工程	gōngchéng	N	project
2. 订购	dìnggòu	V	to order (goods)
3. 五金	wǔjīn	N	hardware
4. 零件	língjiàn	N	component, part

回答问题：

Answer the questions:

1. 买方订购了什么产品？总值是多少？五金，80万套 总值60万美元 CIF
2. 买方可以在多少天内提出异议？ 30天内
3. 卖方是什么时候交货的？ 2010年2月28日
4. 买方什么时候提出了索赔？依据是什么？2010年6月提出索赔，质量不合格
5. 卖方会不会赔偿买方？为什么？不会，

八 完成任务。

Complete the tasks.

1. 小组采访（可以独立完成，也可以几个人一组共同完成）：
   Interview (you can do it individually or in a group):
   采访一位签订过合同的人，了解：
   Interview a contractor to learn the following information:
   (1) 签订的合同格式是什么样的？包括哪些内容？
   What is the format of a contract? What does it include?
   (2) 签订合同时应该注意什么？什么最重要？
   What is the dos and don'ts when signing a contract? What is the most important thing?

   采访结束后，请在课堂上向老师和同学介绍采访的内容。
   Present your findings to your teacher and classmates in class after the interview.

2. 小组讨论（两人或几人一组）：
Group discussion (work in pairs or a group of several students):
(1) 你认为合同中什么条款最重要？为什么？
In your opinion, what is the most important article in a contract? Why?
(2) 作为买方，应该如何利用合同的规定来保护自己的权益？卖方呢？
As buyers, how can they use the regulations in the contract to protect their rights? What about the sellers?
(3) 讨论结束后，请向老师和同学介绍你们的观点。
Make a presentation to your teacher and classmates after the discussion.

3. 调查活动（可以独立完成也可以几人一组共同完成）：
Survey (you may do it individually or in a group):
找一份外贸合同，并向老师和同学介绍合同的内容。
Find a contract of foreign trade and present its content to your teacher and classmates.

面 试（一）
An interview (1)

课文 Text	题目 Title	注释 Notes
一	企业是怎么面试应聘者的 How does a company interview job applicants	1. 习惯用语"别提了" The idiom "别提了" 2. 连词"别说" The conjunction "别说" 3. 副词"怪不得" The adverb "怪不得" 4. 疑问代词表示任指 An interrogative pronoun indicating a general reference 5. 表示条件关系的复句:"无论……，都……" The compound sentence indicating conditional relationship "无论……，都……" 6. 副词"尽量" The adverb "尽量" 7. 副词"刚好" The adverb "刚好"
二	招聘广告 Recruitment advertisement	1. 动词兼名词"计划" The verb and noun "计划" 2. 动词"到" The verb "到"
三	个人简历 Resume	1. 连词"并" The conjunction "并" 2. 动词"善于" The verb "善于"

Qǐyè Shì Zěnme Miànshì Yìngpìnzhě de
企业是怎么面试应聘者的

课文一 Text 1 How does a company interview job applicants

张远和李明明都在找工作。他们向卡尔和康爱丽请教。卡尔还请来了金龙公司的总经理林琳。他们一边喝咖啡，一边聊找工作时要注意的问题。

● 卡　尔：工作找得怎么样了？拿到录用通知书了吗？

○ 张　远：唉，别提了！正为这事儿发愁呢。

● 康爱丽：遇到什么问题了？

○ 张　远：我们看了很多招聘启事，也投了不少简历，可都没收到面试通知，更别说录用通知了。

● 李明明：还要向你们几位大老板请教啊！

○ 康爱丽：请教谈不上，我们可以给你们一点儿建议。

● 林　琳：首先要找准自己的求职目标，然后有针对性地投简历，效果才理想。

○ 李明明：怪不得呢！我是看见哪儿招人就往哪儿投简历。

● 张　远：我们确实有点儿“病急乱投医”了。

○ 李明明：企业是怎么面试应聘者的？

● 卡　尔：一般是面对面地进行。面试官会提各种各样的问题。

○ 林　琳：现在无论是国有企业、外资企业还是私营企业，很多面试中都会有小组面试。

● 张　远：这是怎么回事儿？

○ 林　琳：小组面试就是把面试者分成几个小组，讨论案例。

● 康爱丽：这是为了考察应聘者的交流和合作能力。

○ 林　琳：也是展示自己的好机会。

● 李明明：那小组面试一定要积极发言吧？

○ 康爱丽：对，但是应该尽量避免攻击别人的观点，要有团队精神。

● 卡　尔：还有，细节问题也非常重要，有时候它们是成功的关键。

○ 张　远：那要注意哪些细节问题呢？

● 康爱丽：比如说，面试前要了解企业，面试时要准时到达面试地点。

○ 林　琳：面试时还要谦虚、礼貌、自信，穿着得体。

● 卡　尔：不要过分关心工资和待遇。

○ 李明明：真不容易呀！

● 康爱丽：先别想了，等你们收到面试通知再说。

○ 林　琳：别担心！网上新发布的大学毕业生就业报告说，管理学和经济学这两大类专业的就业率最高，都是91%。

● 卡　尔：这刚好是你们学的专业。祝你们俩好运！

○ 张　远：你们可帮了我们一个大忙！

● 李明明：非常感谢！

※・※

Zhāng Yuǎn hé Lǐ Míngming dōu zài zhǎo gōngzuò. Tāmen xiàng Kǎ'ěr hé Kāng Àilì qǐngjiào. Kǎ'ěr hái qǐngláile Jīnlóng Gōngsī de zǒngjīnglǐ Lín Lín. Tāmen yìbiān hē kāfēi, yìbiān liáo zhǎo gōngzuò shí yào zhùyì de wèntí.

● Kǎ'ěr: Gōngzuò zhǎo de zěnmeyàng le? Nádào lùyòng tōngzhīshū le ma?

○ Zhāng Yuǎn: Ài, biétí le! Zhèng wèi zhè shìr fāchóu ne.

● Kāng Àilì: Yùdào shénme wèntí le?

○ Zhāng Yuǎn: Wǒmen kànle hěn duō zhāopìn qǐshì, yě tóule bù shǎo jiǎnlì, kě dōu méi shōudào miànshì tōngzhī, gèng biéshuō lùyòng tōngzhī le.

● Lǐ Míngming: Hái yào xiàng nǐmen jǐ wèi dà lǎobǎn qǐngjiào a!

○ Kāng Àilì: Qǐngjiào tán bu shàng, wǒmen kěyǐ gěi nǐmen yìdiǎnr jiànyì.

● Lín Lín: Shǒuxiān yào zhǎozhǔn zìjǐ de qiúzhí mùbiāo, ránhòu yǒu zhēnduìxìng de tóu jiǎnlì, xiàoguǒ cái lǐxiǎng.

○ Lǐ Míngming: Guàibude ne! Wǒ shì kànjiàn nǎr zhāo rén jiù wǎng nǎr tóu jiǎnlì.

● Zhāng Yuǎn: Wǒmen quèshí yǒudiǎnr "bìng jí luàn tóu yī" le.

○ Lǐ Míngming: Qǐyè shì zěnme miànshì yìngpìnzhě de?

● Kǎ'ěr: Yìbān shì miàn duì miàn de jìnxíng. Miànshìguān huì tí gè zhǒng gè yàng de wèntí.

○ Lín Lín: Xiànzài wúlùn shì guóyǒu qǐyè、wàizī qǐyè háishi sīyíng qǐyè, hěn duō miànshì zhōng dōu huì yǒu xiǎozǔ miànshì.

● Zhāng Yuǎn: Zhè shì zěnme huí shìr?

○ Lín Lín: Xiǎozǔ miànshì jiù shì bǎ miànshìzhě fēnchéng jǐ ge xiǎozǔ, tǎolùn ànlì.

● Kāng Àilì: Zhè shì wèile kǎochá yìngpìnzhě de jiāoliú hé hézuò nénglì.

○ Lín Lín: Yě shì zhǎnshì zìjǐ de hǎo jīhui.

● Lǐ Míngming: Nà xiǎozǔ miànshì yídìng yào jījí fāyán ba?

○ Kāng Àilì: Duì, dànshì yīnggāi jǐnliàng bìmiǎn gōngjī biéren de guāndiǎn, yào yǒu tuánduì jīngshén.

● Kǎ'ěr: Hái yǒu, xìjié wèntí yě fēicháng zhòngyào, yǒushíhou tāmen shì chénggōng de guānjiàn.

○ Zhāng Yuǎn: Nà yào zhùyì nǎxiē xìjié wèntí ne?

● Kāng Àilì: Bǐrú shuō, miànshì qián yào liǎojiě qǐyè, miànshì shí yào zhǔnshí dàodá miànshì dìdiǎn.

○ Lín Lín: Miànshì shí hái yào qiānxū、lǐmào、zìxìn, chuānzhuó détǐ.

● Kǎ'ěr: Búyào guòfèn guānxīn gōngzī hé dàiyù.

○ Lǐ Míngming: Zhēn bù róngyì ya!

● Kāng Àilì: Xiān bié xiǎng le, děng nǐmen shōudào miànshì tōngzhī zàishuō.

○ Lín Lín: Bié dānxīn! Wǎngshang xīn fābù de dàxué bìyèshēng jiùyè bàogào shuō, guǎnlǐxué hé jīngjìxué zhè liǎng dà lèi zhuānyè de jiùyèlǜ zuì gāo, dōu shì bǎi fēnzhī jiǔshíyī.

● Kǎ'ěr: Zhè gānghǎo shì nǐmen xué de zhuānyè. Zhù nǐmen liǎ hǎoyùn!

○ Zhāng Yuǎn: Nǐmen kě bāngle wǒmen yí ge dà máng!

● Lǐ Míngming: Fēicháng gǎnxiè!

※ • ※

Both Zhang Yuan and Li Mingming are looking for a job, so they consult Karl and Alice Clement. Karl also invites Lin Lin, the general manager of Jinlong Company. While drinking coffee, they chat about the issues in finding a job.

● Karl: How are you doing in finding a job? Have you got any offer?

○ Zhang Yuan: I don't want to talk about it! I'm worrying about it now.

● Alice: What's the problem?

○ Zhang Yuan: We've read lots of job advertisements and sent many resumes, but we haven't got any interview notice, let alone offers.

● Li Mingming: So we'd like to consult you big bosses.

○ Alice: No problem. We can give you some advice.

● Lin Lin: First of all, you need to find out what is your job objective, then send your resumes accordingly to make it work.

○ Li Mingming: No wonder I haven't got any offer. I sent my resume wherever there was a job vacancy.

● Zhang Yuan: We do get into a panic and try everything when we are in a desperate situation.

○ Li Mingming: How does a company interview job applicants?

● Karl: Generally it's a face-to-face interview. The interviewer may ask all kinds of questions.

○ Lin Lin: Whether it's a state-owned company, a foreign company or a private company, group interviews are rather popular now.

● Zhang Yuan: What is a group interview?

○ Lin Lin: In a group interview, the applicants are divided into groups to discuss "cases".

● Alice: This is to observe the interviewees' communicative and cooperative abilities.

○ Lin Lin: It's also a good opportunity to showcase yourself.

● Li Mingming: Then we must be active in a group interview, right?

○ Alice: Right, but you should avoid attacking others' viewpoints and have a team spirit.

● Karl: In addition, the details are also important; sometimes they are the key to success.

○ Zhang Yuan: Then which details shall we pay attention to?

● Alice: For example, you need to know something about the company before an interview, and you must arrive at the place of interview on time.

○ Lin Lin: During an interview you're supposed to be modest, polite, confident and appropriately dressed.

● Karl: Don't be too concerned about salaries and benefits.

○ Li Mingming: It's so hard!

● Alice: Don't think about it yet. Just wait until you get an interview notice.

○ Lin Lin: Don't worry! The newly-released report on survey of college graduates employment indicates that graduates majoring in management and economics have the highest employment rates, both of which hitting 91%.

● Karl: And these are just your majors. Good luck to you!

○ Zhang Yuan: That is a big help!

● Li Mingming: Thank you very much!

生词 Shēngcí New Words

1. 面试	miànshì	V	to interview
2. 应聘者	yìngpìnzhě	N	applicant, candidate
应聘	yìngpìn	V	to apply
3. 录用通知书	lùyòng tōngzhīshū		offer
录用	lùyòng	V	to employ
4. 别提	biétí	V	not to mention
5. 遇到	yùdào	V	to encounter
6. 招聘	zhāopìn	V	to recruit
7. 启事	qǐshì	N	notice
8. 投	tóu	V	to send
9. 简历	jiǎnlì	N	resume
10. 别说	biéshuō	Conj	let alone
11. 请教	qǐngjiào	V	to consult
12. 找准	zhǎozhǔn	V	to find, to pinpoint
13. 求职	qiúzhí	V	to apply for a job
14. 目标	mùbiāo	N	aim, objective
15. 针对性	zhēnduìxìng	N	pertinence
16. 效果	xiàoguǒ	N	effect
17. 理想	lǐxiǎng	Adj	ideal
18. 怪不得	guàibude	Adv	no wonder
19. 招	zhāo	V	to recruit
20. 确实	quèshí	Adv	indeed
21. 病急乱投医	bìng jí luàn tóu yī		to get into a panic and try everything when in a desperate situation
22. 面对面	miàn duì miàn		face-to-face

一对一 one-to-one

23. 官	guān	N	person appointed to a position
24. 各种各样	gè zhǒng gè yàng		all kinds of
25. 无论……，都……	wúlùn……，dōu……		no matter
26. 国有企业	guóyǒu qǐyè		state-owned company
27. 外资企业	wàizī qǐyè		foreign company
28. 私营企业	sīyíng qǐyè		private company
29. 小组	xiǎozǔ	N	group
30. 讨论	tǎolùn	V	to discuss
31. 案例	ànlì	N	case
32. 展示	zhǎnshì	V	to showcase
33. 发言	fā yán	V//O	to make a speech
34. 尽量	jǐnliàng	Adv	as … as possible
35. 攻击	gōngjī	V	to attack
36. 观点	guāndiǎn	N	point of view
37. 团队	tuánduì	N	team
38. 关键	guānjiàn	N	key
39. 哪些	nǎxiē	Pr	which
40. 准时	zhǔnshí	Adj	on time
41. 谦虚	qiānxū	Adj	modest
42. 礼貌	lǐmào	Adj	polite
43. 自信	zìxìn	Adj	confident
44. 穿着	chuānzhuó	N	dress
45. 得体	détǐ	Adj	decent
46. 过分	guòfèn	Adj	excessive
47. 工资	gōngzī	N	pay, salary
48. 待遇	dàiyù	N	benefit, treatment
49. 再说	zàishuō	V	to put off until some time later

50. 担心	dān xīn	V//O	to worry
51. 就业	jiù yè	V//O	to get employed
52. 管理学	guǎnlǐxué	N	management
53. 经济学	jīngjìxué	N	economics
54. 类	lèi	N	type, kind
55. 刚好	gānghǎo	Adv	just, exactly
56. 俩	liǎ	Q	two
57. 好运	hǎoyùn	N	good luck

注释 Zhùshì Notes

1 唉，别提了！ I don't want to talk about it!

“别提了”，表示人或事非常使人苦恼或不满，让说话人不愿意说起这个人或这种情况。有感叹没法说的意味，但是不一定真的不说。“别提”，副词。“别提了”多作谓语，“提”的后面可以带宾语，即“别提……了”。也可以单独用在句首。例如：

“别提了” indicates the speaker is so annoyed or unsatisfied with somebody or something that he doesn't want to talk about it. It means “hard to say it”, but not necessarily “won't say it”. “别提” is an adverb. “别提了” is often used as a predicate, and “提” can be followed by an object, i.e. “别提……了”. It can also be used by itself at the beginning of a sentence. For example:

① 别提了！这次我考得非常不好。

② 别提他了！

③ 我们是朋友，就别提钱的事儿了。

2 更别说录用通知了。 Let alone offers.

“别说”，连词，表示通过降低对某人、某事的评价，来突出另外的人或事。在表示让步的复句中，“别说”用在前一小句的句首，后一小句常用“即使/就是……也……”或者“（就）连……都/也……”。前一小句中指出，在明显的、容易产生某种结果的情况下，产生这种结果是不需要说起的；后一小句表示假设让步，指出在另一种不容易产生这种结果的情况下，也会产生这种结果。这样来强调人或事确实具有某种性质，确实会产生某种结果。也可以说“别说是”。例如：

"别说" is a conjunction used to highlight somebody or something by giving a lower evaluation of others. In a concessive compound sentence, "别说" is used at the beginning of the first clause and "即使/就是……也……" or "（就）连……都/也……" is often used in the second clause. The first clause indicates that when it is obvious that some result will be produced easily, this result does not need to be mentioned. The second clause indicates concession, meaning this result can be produced even under another "unlikely" condition. This pattern is thus used to emphasize somebody or something does have a certain characteristic and will produce a certain result. "别说是" can also be used. For example,

① 别说这么点儿小事，即使（jíshǐ, even though）再大的困难，我们也不怕。
② 这个问题这么简单，别说大学生（dàxuéshēng, college student）了，就连小学生（xiǎoxuéshēng, primary school student）都知道答案。
③ 这家中国公司非常有名，别说中国人了，就连很多外国人都知道。

3 怪不得呢！ No wonder...

"怪不得"，副词，表示明白了原因，对某种情况就不觉得奇怪了。所以，它的后面要跟曾经觉得奇怪的某种情况，常常和"原来"一起用，构成"怪不得……，原来……"的句式。"原来"引出表明原因的句子。有时，这两个词语可以不同时使用，当说话人明白原因后再说时常常只用"怪不得……"。"怪不得呢"可以单独使用，也可以用来回答问题。例如：

"怪不得" is an adverb, indicating somebody is not surprised by something once he knows why. Therefore, it is followed by a certain situation that he feels strange about and is often used with "原来" to form the pattern "怪不得……, 原来……". Sometimes, the two phrases can be used separately. More often than not, when the speaker understands the reason, only "怪不得……" is used. "怪不得呢" can be used independently or to answer a question. For example,

① A：他今天嗓子疼，所以晚会上没唱歌（chàng gē, to sing）。
B：怪不得呢。
② 怪不得他没来上班，原来是病了。
③ 天气预报说今天有雨，怪不得那么多人带着雨伞。

4 我是看见哪儿招人就往哪儿投简历。 I sent my resume wherever there was a job vacancy.

"哪儿"，疑问代词，这里表示任指，指任何一个地方。本句中前后"哪儿"相呼应，指同一个地点；常常和"就"一起用，表示假设关系。类似的疑问代词表任指的还有"什么、哪里、谁、怎么"等。例如：

"哪儿" is an interrogative pronoun for general reference, meaning "anywhere". "哪儿" is used twice and in concert with each other in the sentence, referring to the same place. It is often used with "就" to indicate a hypothetical relationship. Similar interrogative pronouns to indicate a general reference also include "什么", "哪里", "谁", "怎么", etc. For example,

① 哪儿好玩儿就去哪儿。
② 你买什么我就吃什么。

③ 哪里有水，哪里就有生命（shēngmìng, life）。
④ 你想怎么说就怎么说。
⑤ 你喜欢谁就选谁。

5 现在无论是国有企业、外资企业还是私营企业，很多面试中都会有小组面试。
Whether it's a state-owned company, a foreign company or a private company, group interviews are rather popular now.

"无论……，都……"，表示条件关系的复句。"无论"，连词，表示在任何条件下结果或结论都不会改变，后面常有副词"都、也"和它呼应。"无论"的后面常常跟选择疑问形式、疑问代词的任指用法等。例如：

"无论……, 都……" is a conditional compound sentence. "无论" is a conjunction indicating the result or conclusion will not change under any condition. It is in concert with the adverb "都" or "也" and is often followed by an alternative interrogative pattern or an interrogative pronoun indicating general reference. For example,

① 无论他说什么，你都不要相信（xiāngxìn, to believe）。
② 无论谁去谈判，都要注意谈判技巧。
③ 无论你去还是他去，我都同意。
④ 无论王经理来不来，我们都要开会。

6 但是应该尽量避免攻击别人的观点。
But you should avoid attacking others' viewpoints.

"尽量"，副词，表示力求在一定范围内达到最大限度。后面常常跟形容词或动词。例如：

"尽量" is an adverb indicating the utmost degree within a certain scope. It is often followed by an adjective or a verb. For example,

① 我尽量安排这周五去服装厂参观。
② 有问题先自己解决，尽量不要打扰（dǎrǎo, to disturb）别人。
③ 明天我们尽量早一点儿走吧。

7 这刚好是你们学的专业。 And these are just your majors.

"刚好"，副词，"恰巧、正巧"的意思。后面常常加形容词、动词或小句，表示正好在那一点上，指时间、空间、数量等不早不晚、不前不后、不多不少等。例如：

"刚好" is an adverb, meaning "just" or "happen to be". It is usually followed by an adjective, a verb or a clause, indicating exactly the right time, space or amount. For example,

① 今天刚好没事，我们去公园（gōngyuán, park）玩儿吧。
② 这件衣服大小刚好合适。
③ 我正要去找他，刚好他来了。

Zhāopìn Guǎnggào
招聘广告

课文二 Text 2

Recruitment advertisement

卡尔要在中国找一家公司实习，他在网上看到了一则招聘广告，工作很适合他。广告是这么写的：

根据市场的发展需要，本公司计划招聘一名电脑销售经理。职位要求：

1. 研究生学历，熟悉电脑销售，具备良好的市场开拓和管理能力，有两年以上相关经验者优先。

2. 年龄 35 ~ 45 岁，男女不限，工作勤奋，责任心强。待遇面议。

有意者请发送简历到 zhaopin@gmail.com。

Kǎ'ěr yào zài Zhōngguó zhǎo yì jiā gōngsī shíxí, tā zài wǎngshang kàndàole yì zé zhāopìn guǎnggào, gōngzuò hěn shìhé tā. Guǎnggào shì zhème xiě de:

Chéngpìn

Gēnjù shìchǎng de fāzhǎn xūyào, běn gōngsī jìhuà zhāopìn yì míng diànnǎo xiāoshòu jīnglǐ. Zhíwèi yāoqiú:

1. Yánjiūshēng xuélì, shúxi diànnǎo xiāoshòu, jùbèi liánghǎo de shìchǎng kāituò hé guǎnlǐ nénglì, yǒu liǎng nián yǐshàng xiāngguān jīngyànzhě yōuxiān.

2. Niánlíng sānshíwǔ dào sìshíwǔ suì, nán nǚ bú xiàn, gōngzuò qínfèn, zérènxīn qiáng. Dàiyù miànyì.

Yǒuyìzhě qǐng fāsòng jiǎnlì dào zhaopin@gmail.com.

※ • ※

Karl wanted to get an internship at a Chinese company. He read the online advertisements and found an ideal job vacancy. The advertisement is as follows:

Wanted

This company is going to recruit a computer sales manager based on the need for market development. Job requirements:

1. A postgraduate, familiar with computer sales, capable of market development and management, two or more years of relevant experience preferred.

2. Aged between 35~45, male or female, hard-working and has a strong sense of responsibility. Salaries are negotiable.

If interested, please send your resume to: zhaopin@gmail.com.

生词 Shēngcí New Words

1. 实习	shíxí	V	to practice (what has been taught in class)
2. 则	zé	M	*a measure word*
3. 诚聘	chéngpìn	V	to recruit
4. 职位	zhíwèi	N	post, position
5. 研究生	yánjiūshēng	N	postgraduate
6. 学历	xuélì	N	education background
7. 良好	liánghǎo	Adj	good
8. 开拓	kāituò	V	to develop, to expand
9. 管理	guǎnlǐ	V	to manage
10. 以上	yǐshàng	N	more than
11. 年龄	niánlíng	N	age
12. 限	xiàn	V	to restrict
13. 勤奋	qínfèn	Adj	diligent
14. 责任心	zérènxīn	N	sense of responsibility
15. 强	qiáng	Adj	strong
16. 面议	miànyì	V	to discuss personally
17. 有意者	yǒuyìzhě	N	interested applicant
18. 发送	fāsòng	V	to send

注释 Zhùshì Notes

1 根据市场的发展需要，本公司计划招聘一名电脑销售经理。

This company is going to recruit a computer sales manager based on the need for market development.

“计划”，这里是动词，表示拟定工作内容或行动步骤，可以带动词宾语、补语。另外，“计

划”也有名词用法。例如：

“计划” is used as a verb in this sentence, indicating to make a plan of work or action steps. It can be followed by an object or a complement when used as a verb. For example,

① 他计划去上海旅行。

② 这次参观怎么安排，咱们来计划一下。

③ 我们的计划不变。

2 有意者请发送简历到 zhaopin@gmail.com。
If interested, please send your resume to: zhaopin@gmail.com.

“到”，动词，这里有“达到某一点”的意思，表示通过动作使人或事物到达某一个地方，宾语必须是表示地点的词语。例如：

“到” is a verb meaning “to a certain point” in this sentence. It indicates to make somebody or something reach some place through an action. The object must be a word of place. For example,

① 我把书放到桌上了。

② 他把信寄到了德国。

③ 合同已经送到李经理的办公室了。

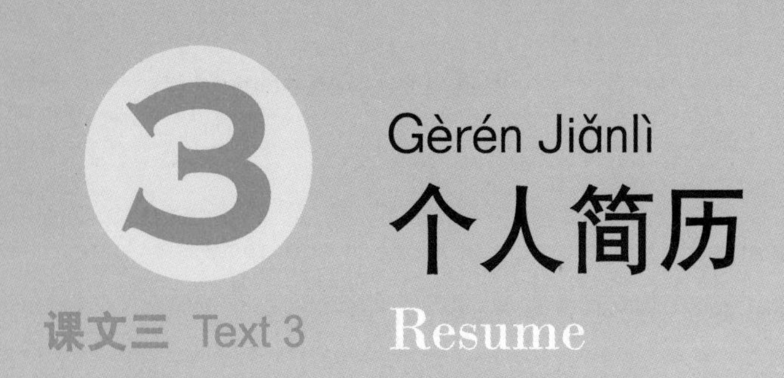

3 Gèrén Jiǎnlì 个人简历

课文三 Text 3 **Resume**

卡尔看到招聘广告后，准备了一份简历。

个人简历

姓名	卡尔·霍夫曼	国籍	德国	
性别	男	出生年月	1974年6月	
目前居住地	北京			
联系方式				
手机	13801001111			
电子邮箱	karl1974@gmail.com			
地址	北京市朝阳区惠新东街10号　对外经济贸易大学 汇宾公寓262室，100029			
求职意向及工作经历				
应聘职位	销售经理	求职类型	实习	
月薪要求	无			

工作经历	2004~2008 年，××电脑集团，市场总监 负责宣传、推广品牌 制订市场开发等方面的发展规划 选择最优广告渠道，管理广告预算 负责产品在德国南部地区的销售 1998~2003 年，××电子公司，销售员 根据部门总体市场策略制订自己的销售计划 开发、管理自己的客户 组织并参与外地促销活动		
教育背景			
毕业院校	慕尼黑大学	最高学历	硕士
所学专业	1. 计算机	2. 企业管理	
语言能力及特长			
外语	汉语 HSK 6 级，口语表达流畅		
特长	能利用互联网保持客户与公司之间的信息传递，具备发展更多潜在客户的能力 能熟练使用办公软件（如 Word、Excel、PowerPoint 等）		
自我评价			
本人性格开朗、诚信、踏实；善于与人交往，团队工作能力强；工作热情高；有丰富的销售经验。			

※・※

Kǎ’ěr kàndào zhāopìn guǎnggào hòu, zhǔnbèile yí fèn jiǎnlì.

Gèrén Jiǎnlì

Xìngmíng	Kǎ’ěr Huòfūmàn	Guójí	Déguó
Xìngbié	Nán	Chūshēng nián yuè	Yī jiǔ qī sì nián liùyuè
Mùqián jūzhùdì	Běijīng		
Liánxì fāngshì			
Shǒujī	13801001111		

Diànzǐ yóuxiāng	karl1974@gmail.com		
Dìzhǐ	Běijīng Shì Cháoyáng Qū Huìxīn Dōngjiē shí hào Duìwài Jīngjì Màoyì Dàxué Huìbīn Gōngyù èr liù èr shì，100029		
Qiúzhí yìxiàng jí gōngzuò jīnglì			
Yìngpìn zhíwèi	Xiāoshòu jīnglǐ	Qiúzhí lèixíng	Shíxí
Yuèxīn yāoqiú	Wú		
Gōngzuò jīnglì	Èr líng líng sì dào èr líng líng bā nián, ×× diànnǎo jítuán, shìchǎng zǒngjiān Fùzé xuānchuán、tuīguǎng pǐnpái Zhìdìng shìchǎng kāifā děng fāngmiàn de fāzhǎn guīhuà Xuǎnzé zuì yōu guǎnggào qúdào，guǎnlǐ guǎnggào yùsuàn Fùzé chǎnpǐn zài Déguó nánbù dìqū de xiāoshòu Yī jiǔ jiǔ bā dào èr líng líng sān nián，×× diànzǐ gōngsī, xiāoshòuyuán Gēnjù bùmén zǒngtǐ shìchǎng cèlüè zhìdìng zìjǐ de xiāoshòu jìhuà Kāifā、guǎnlǐ zìjǐ de kèhù Zǔzhī bìng cānyù wàidì cùxiāo huódòng		
Jiàoyù bèijǐng			
Bìyè yuànxiào	Mùníhēi Dàxué	Zuì gāo xuélì	Shuòshì
Suǒ xué zhuānyè	1. Jìsuànjī	2. Qǐyè guǎnlǐ	
Yǔyán nénglì jí tècháng			
Wàiyǔ	Hànyǔ HSK liù jí，kǒuyǔ biǎodá liúchàng		
Tècháng	Néng lìyòng hùliánwǎng bǎochí kèhù yǔ gōngsī zhījiān de xìnxī chuándì，jùbèi fāzhǎn gèng duō qiánzài kèhù de nénglì Néng shúliàn shǐyòng bàngōng ruǎnjiàn (rú Word、Excel PowerPoint děng)		
Zìwǒ píngjià			
Běnrén xìnggé kāilǎng、chéngxìn、tāshi; shànyú yǔ rén jiāowǎng, tuánduì gōngzuò nénglì qiáng; gōngzuò rèqíng gāo；yǒu fēngfù de xiāoshòu jīngyàn.			

※•※

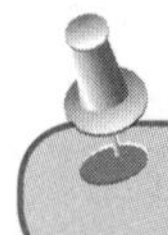

Karl has prepared a resume after he read the job ad.

Resume

Name	Karl Hofmann	Nationality	Germany
Gender	Male	Date of Birth	June, 1974
Current Residence	Beijing		
Contact			
Cell Phone	13801001111		
Email	karl1974@gmail.com		
Address	Room 262, Huibin Apartment, University of International Business and Economics / No. 10, Huixin East Street, Chaoyang District, Beijing, Zip code: 100029		
Career Objective and Work Experience			
Post	Sales Manager	Type of Job	Intern
Salary Requirement	None		
Work Experience	2004 ~ 2008, CMO (Chief Marketing Officer) at ×× Computer Group Responsibilities: Responsible for publicizing and promoting the brand Making plans for market development Selecting the best advertising channels and administer advertising budgets Responsible for the sales in southern Germany 1998 ~ 2003, Salesman at ×× Electronic Company Making sales plans according to the overall marketing strategy of the department Developing and managing customers Organizing and participating in the promotion activities in other parts of the country		
Education Background			
Graduated Institution	University of Munich	Highest Academic Degree Obtained	Master
Majors	1. Computer Science	2. Business Managment	

Language Competency and Speciality	
Foreign Language	Chinese HSK 6, fluent in oral Chinese
Speciality	Able to use the Internet to communicate with customers on behalf of the company, having the ability to develop more potential customers Proficient in Office software (e.g. Word, Excel, PowerPoint, etc.)
Self Appraisal	
Open-minded, honest, dependable; having good communication skills, team spirits and a passion for work; rich in sales experience.	

生词 Shēngcí New Words

1. 个人	gèrén	N	personal
2. 姓名	xìngmíng	N	name
3. 国籍	guójí	N	nationality
4. 性别	xìngbié	N	gender
5. 居住地	jūzhùdì	N	residence
居住	jūzhù	V	to live, to reside
6. 经历	jīnglì	N	experience
7. 月薪	yuèxīn	N	salary
8. 集团	jítuán	N	group
9. 总监	zǒngjiān	N	superintendent
10. 宣传	xuānchuán	V	to propagate, to publicize
11. 推广	tuīguǎng	V	to promote (brand
12. 品牌	pǐnpái	N	brand
13. 制订	zhìdìng	V	to make, to formulate
14. 开发	kāifā	V	to develop
15. 规划	guīhuà	V	to plan

16. 优	yōu	Adj	excellent
17. 渠道	qúdào	N	channel
18. 预算	yùsuàn	N	budget
19. 地区	dìqū	N	area, region
20. 策略	cèlüè	N	strategy, tactic
21. 组织	zǔzhī	V/ N	to organize; organization
22. 外地	wàidì	N	other places
23. 教育	jiàoyù	N	education
24. 背景	bèijǐng	N	background
25. 硕士	shuòshì	N	master
26. 语言	yǔyán	N	language
27. 特长	tècháng	N	speciality, strong point
28. 外语	wàiyǔ	N	foreign language
29. 级	jí	N	level
30. 表达	biǎodá	V	to express
31. 流畅	liúchàng	Adj	fluent
32. 利用	lìyòng	V	to use
33. 互联网	hùliánwǎng	N	(the) Internet
34. 保持	bǎochí	V	to maintain, to keep
35. 之间	zhījiān	N	between, among
36. 传递	chuándì	V	to deliver
37. 潜在	qiánzài	Adj	potential
38. 熟练	shúliàn	Adj	proficient
39. 使用	shǐyòng	V	to use
40. 办公	bàn gōng	V//O	to work
41. 软件	ruǎnjiàn	N	software
42. 自我	zìwǒ	Pr	oneself
43. 评价	píngjià	V	to evaluate

44. 本人	běnrén	Pr	I, myself
45. 性格	xìnggé	N	character, personality
46. 开朗	kāilǎng	Adj	cheerful, optimistic
47. 诚信	chéngxìn	Adj	honest and trustworthy
48. 踏实	tāshi	Adj	dependable
49. 善于	shànyú	V	to be good at
50. 交往	jiāowǎng	V	to contact
51. 热情	rèqíng	Adj	passionate

专有名词 Zhuānyǒu Míngcí **Proper Nouns**

1. 朝阳区	Cháoyáng Qū	a district of Beijing, home to the majority of foreign embassies in Beijing and the well-known Sanlitun Bar Street is located there
2. 惠新东街	Huìxīn Dōngjiē	name of a street in Beijing
3. 汇宾公寓	Huìbīn Gōngyù	Huibin Apartment
4. 慕尼黑大学	Mùníhēi Dàxué	University of Munich

注释 Zhùshì Notes

1 组织并参与外地促销活动

Organizing and participating in the promotion activities in other parts of the country

"并"，这里是连词，"并且"的意思。表示几个动作同时进行，或是几种性质同时存在，常连接并列的动词或形容词等。"并"连接的常是双音节词。例如：

"并" is a conjunction meaning "and". It indicates the co-existence of several actions or characteristics. It often connects coordinating verbs or adjectives which are often disyllabic. For example,

① 我同意并支持（zhīchí, to support）你的决定。

② 会议讨论并通过了这个计划。

③ 他迅速（xùnsù, quickly）并准确（zhǔnquè, accurately）地回答了老师的问题。

2 善于与人交往

Having good communication skills

"善于"，动词，表示在某方面具有特长，后面常常跟动词或动词短语。不能带"了、着、过"，不能带补语，不能重叠。例如：

"善于" is a verb meaning "to be good at" and is often followed by a verb or a verbal phrase. It can not be followed by "了", "着", "过" or a complement. Nor can it be reduplicated. For example,

① 他很善于表达自己的看法。

② 她不善于交际（jiāojì, to communicate），不善于与人合作。

③ 康爱丽很善于谈判。

练习 Liànxí Exercises

一 跟读生词，注意发音和声调。
Read the new words after the teacher and pay attention to your pronunciation and tones.

二 跟读课文，注意语音语调。
Read the texts after the teacher and pay attention to your pronunciation and intonation.

三 学生分组，分角色朗读课文一。
Divide the students into groups and read Text 1 in roles.

四 学生分组，不看书，分角色表演课文一。
Divide the students into groups and play the roles in Text 1 without referring to the book.

五 角色扮演。（提示：角色可以互换。）
Role playing. (Note: the roles can be exchanged.)

两个人一组，A扮演要找工作的人，B扮演A的朋友——有找工作经验的人。A向B请教企业是怎么面试应聘者的。也可以四人一组，A和B扮演要找工作的人，C和D扮演A、B的朋友。请用课文里学过的词语和句子完成对话。

Students work in pairs. Suppose A is a job applicant, and B is his / her friend, an experienced job hunter. A asks B how a company interviews job applicants. Students can also work in groups of four, A and B being job applicants, C and D being A and B's friends. Please complete a conversation with the words and sentences you learned in the text.

内容提示：

Tips for the conversation:

（1）投简历和面试时要注意什么问题？

（2）面试的形式有哪些？

（3）小组面试时应该注意哪些问题？

六 复述课文一。
Retell Text 1.

七 替换练习。
Substitution drills.

1 唉，别提了！ 正为这事儿发愁呢。

一个面试通知也没有收到
很多职位都要研究生
我们分手（fēn shǒu, to break up）了
昨天的比赛我们队输（shū, to lose）了

2 我是看见 哪儿招人 就 往 哪儿投简历。

谁	叫	谁
什么东西好吃	买	什么东西
哪里人多	往	哪里去
什么衣服流行	穿	什么衣服
哪种工作赚钱（zhuàn qián, to make money）	做	哪种工作

3 我们 确实有点儿 “病急乱投医”了。

这篇文章	长
最近	发愁
面试的时候	紧张
我	不知道说什么好

4 现在 无论 国企、外企 还是 私企， 很多面试中 都 会有小组面试。

下星期一	老师	学生	开会	不能迟到
明天	刮风（guā fēng,（of wind）to blow）	下雨	我们	要去长城
	大人（dàrén, adult）	孩子		不能说谎（shuō huǎng, to lie）
	面试官	应聘者	面试时	应该有礼貌

5 应该尽量 避免攻击别人的观点， 要 有团队精神。

不要迟到	提前几分钟到
不要打孩子	讲道理（dàolǐ, reason）
别过分自信	谦虚一点儿
别麻烦别人	独立（dúlì, independent）一点儿

6 这 刚好 是你们学的专业。

昨天	有事
这双鞋	合适
两件衣服	300块
这个人	我认识

7 有意者 请 发送简历 到 zhaopin@gmail.com。

衣服	放	床上
信	寄	美国
通知	贴	墙上
行李	拿	房间里

8 卡尔 组织 并 参与了 外地促销活动。

他们	报名（bào míng, to register）	参加了	篮球比赛
我们	同意	支持	他的看法
公司	通过	完成了	这个方案
她一个人	策划（cèhuà, to plan）	组织了	这场比赛

9 卡尔 善于 与人交往。

她	处理这样的问题
他	表现自己
我们要	发现问题
康爱丽	团结同事

八 用下面的词语组成句子。
Make sentences with the following words and expressions.

课文一

1 向 请教 还要 几位 大老板 啊 你们

2 首先 的 求职 要 找准 自己 目标

3 然后 地 简历 有 针对性 投

4 企业 怎么 的 应聘者 是 面试

5 小组面试 小组 把 面试者 分成 就是 几个

6 这 考察 应聘者 的 是为了 能力 交流 合作 和

7 有时候 的 它们 是 成功 关键

8 不要 关心 工资 待遇 和 过分

课文二

1 具备 市场 他 良好的 开拓 能力 管理 和

2 有 两年 经验 以上 相关 者 优先

课文三

1 负责　德国　地区　南部　卡尔　产品　在　销售　的

2 根据　市场策略　总体　自己的　部门　销售计划　制订

3 具备　的　能力　发展　客户　潜在　更多

4 团队　工作　强　本人　能力

九 写作训练。
Writing exercises.

1 写一个招聘广告。招聘对象：销售员。

Write a recruiting advertisement for a salesperson.

2 根据自己的情况制作一份个人简历。

Write a resume of your own.

十 阅读理解。
Reading comprehension.

张远和李明明都是名牌大学的学生，最近他们在为找工作的事发愁。他们投了很多简历，却没有收到面试通知。他们向朋友请教，朋友给了他们很多建议。有投简历方面的，也有应聘方面的。比如说，要找准目标再投简历；要了解企业；细节问题也要注意，如面试时不能迟到，不要紧张，要谦虚、礼貌、穿着得体，不要过分关心工资，等等。朋友们还告诉他们，做简历时要突出自己的工作经历，因为大公司都喜欢招聘有丰富工作经验的人。

生词 Shēngcí **New Words**

1. 名牌	míngpái	N	name brand
2. 却	què	Adv	but

判断正误：

Decide whether the following statements are true (T) or false (F).

1 张远和李明明的大学不好。 （ ✗ ）

2 他们投了很多简历，也收到了一些面试通知。 （ ✗ ）

3 他们为找工作的事情请朋友帮忙。 （ ✓ ）

4 朋友给他们俩提了一些很好的建议。 （ ✓ ）

5 面试时，细节问题不用注意。 （ ✗ ）

6 面试时，迟到一会儿也没有关系。 （ ✗ ）

7 “穿着得体”的意思是穿自己喜欢的衣服。 （ ✗ ）

8 面试时，应该特别关心自己的工资是多少。 （ ✗ ）

9 做简历时，工作经历部分很重要。 （ ✓ ）

10 大公司都喜欢招聘刚毕业的大学生。 （ ✗ ）

十一 完成任务。

Complete the tasks.

1．调查活动：Survey:

有面试经历的人请思考下面的问题，没有面试经历的人请向别人调查下面的问题：

For those who have been interviewed, please think about the following questions, and for those who have not, please ask others the following questions:

(1) 参加面试时，面试官一般会问哪些问题？

What are the most often asked questions in an interview?

(2) 对于面试官的提问，怎么回答最好？为什么？

How do we answer the questions of the interviewer in the best possible manner? Why?

(3) 面试的时候，对应聘者来说，什么问题可以问，什么问题最好不要问？为什么？

What questions may a job applicant ask during an interview? What questions should not be asked? Why?

2．小组讨论：Group discussion:

请根据上面的内容进行讨论。

Please discuss the above questions within a group.

3．总结汇报：Summary and report:

每组请一个同学总结自己组的问题及大家的看法，并在课堂上向老师和同学报告。

One student from each group summarizes the questions and opinions of the group, and report to your teacher and classmates.

第七单元
UNIT 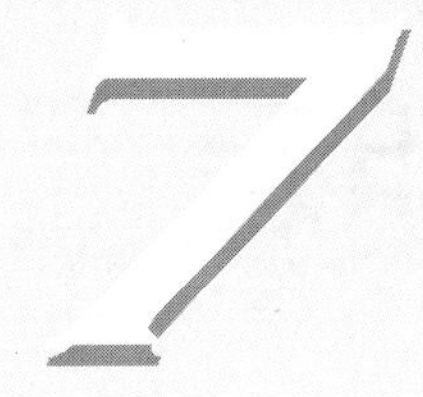

面试（二）
An interview (2)

课文 Text	题目 Title	注释 Notes
一	我们会再通知你的 We will inform you later	“一方面……，另一方面……”
二	你们觉得谁更合适 Who do you think is the most suitable	1. 形容词“难得” The adjective “难得” 2. 副词“倒是” The adverb “倒是” 3. 形容词“可惜” The adjective “可惜”

Wǒmen Huì Zài Tōngzhī Nǐ de

我们会再通知你的

课文一 Text 1 We will inform you later

某公司的张副总经理、王副总经理和人力资源部的李经理在面试卡尔。

● 李经理：你好！欢迎你来参加我们公司的面试。请先简单介绍一下自己。

○ 卡　尔：你们好！我叫卡尔，德国人，毕业于慕尼黑大学，我的第一专业是计算机。

● 李经理：你为什么来中国参加欧盟经理人培训？

○ 卡　尔：一方面，我一直对中国文化很感兴趣，另一方面，我想增进对中国企业的了解。

● 王副总：你来中国多长时间了？

○ 卡　尔：已经 4 个月了。

● 王副总：你的汉语很好啊！

○ 卡　尔：谢谢！我来中国之前已经学过 3 年了。

● 张副总：你要实习多长时间？

○ 卡　尔：3 个月。

● 李经理：这么短的时间，我们可能不能让你担任销售经理，只能做一些基层工作，你觉得可以吗？

○ 卡　尔：没关系。重要的是，我能积累一些在中国工作的经验。

● 王副总：实习期间，我们的基本工资很少，你能接受吗？

○ 卡　尔：没问题。我可以不要工资。

● 王副总：你觉得你能给我们公司带来什么？

○ 卡　尔：我的海外销售经验能帮助公司更多地了解海外市场。

● 李经理：你能告诉我们，我们为什么要接受你实习吗？

○ 卡　尔：作为外国人，我可以更好地与外国顾客沟通，而且也会让中国顾客觉得新鲜。

● 张副总：你有什么问题要问我们吗？

○ 卡　尔：如果你们录用我，会让我做什么工作？

● 张副总：还是销售方面的工作吧。

○ 卡　尔：谢谢！

● 李经理：今天的面试就到这儿。我们会再通知你的。再见！

○ 卡　尔：谢谢！再见！

※•※

Mǒu Gōngsī de Zhāng fùzǒngjīnglǐ、Wáng fùzǒngjīnglǐ hé rénlì zīyuánbù de Lǐ jīnglǐ zài miànshì Kǎ'ěr.

● Lǐ jīnglǐ: Nǐ hǎo! Huānyíng nǐ lái cānjiā wǒmen gōngsī de miànshì. Qǐng xiān

	jiǎndān jièshào yíxià zìjǐ.
○ Kǎ'ěr:	Nǐmen hǎo! Wǒ jiào Kǎ'ěr, Déguó rén, bìyè yú Mùníhēi Dàxué, wǒ de dì yī zhuānyè shì jìsuànjī.
● Lǐ jīnglǐ:	Nǐ wèi shénme lái Zhōngguó cānjiā Ōuméng jīnglǐrén péixùn?
○ Kǎ'ěr:	Yì fāngmiàn, wǒ yìzhí duì Zhōngguó wénhuà hěn gǎn xìngqù, lìng yì fāngmiàn, wǒ xiǎng zēngjìn duì Zhōngguó qǐyè de liǎojiě.
● Wáng fùzǒng:	Nǐ lái Zhōngguó duō cháng shíjiān le?
○ Kǎ'ěr:	Yǐjīng sì ge yuè le.
● Wáng fùzǒng:	Nǐ de Hànyǔ hěn hǎo a!
○ Kǎ'ěr:	Xièxie! Wǒ lái Zhōngguó zhīqián yǐjīng xuéguo sān nián le.
● Zhāng fùzǒng:	Nǐ yào shíxí duō cháng shíjiān?
○ Kǎ'ěr:	Sān ge yuè.
● Lǐ jīnglǐ:	Zhème duǎn de shíjiān, wǒmen kěnéng bù néng ràng nǐ dānrèn xiāoshòu jīnglǐ, zhǐ néng zuò yìxiē jīcéng gōngzuò, nǐ juéde kěyǐ ma?
○ Kǎ'ěr:	Méi guānxi. Zhòngyào de shì, wǒ néng jīlěi yìxiē zài Zhōngguó gōngzuò de jīngyàn.
● Wáng fùzǒng:	Shíxí qījiān, wǒmen de jīběn gōngzī hěn shǎo, nǐ néng jiēshòu ma?
○ Kǎ'ěr:	Méi wèntí. Wǒ kěyǐ bú yào gōngzī.
● Wáng fùzǒng:	Nǐ juéde nǐ néng gěi wǒmen gōngsī dàilái shénme?
○ Kǎ'ěr:	Wǒ de hǎiwài xiāoshòu jīngyàn néng bāngzhù gōngsī gèng duō de liǎojiě hǎiwài shìchǎng.
● Lǐ jīnglǐ:	Nǐ néng gàosu wǒmen, wǒmen wèi shénme yào jiēshòu nǐ shíxí ma?
○ Kǎ'ěr:	Zuòwéi wàiguórén, wǒ kěyǐ gèng hǎo de yǔ wàiguó gùkè gōutōng, érqiě yě huì ràng Zhōngguó gùkè juéde xīnxiān.
● Zhāng fùzǒng:	Nǐ yǒu shénme wèntí yào wèn wǒmen ma?
○ Kǎ'ěr:	Rúguǒ nǐmen lùyòng wǒ, huì ràng wǒ zuò shénme gōngzuò?
● Zhāng fùzǒng:	Háishi xiāoshòu fāngmiàn de gōngzuò ba.
○ Kǎ'ěr:	Xièxie!
● Lǐ jīnglǐ:	Jīntiān de miànshì jiù dào zhèr. Wǒmen huì zài tōngzhī nǐ de. Zàijiàn!
○ Kǎ'ěr:	Xièxie! Zàijiàn!

※ • ※

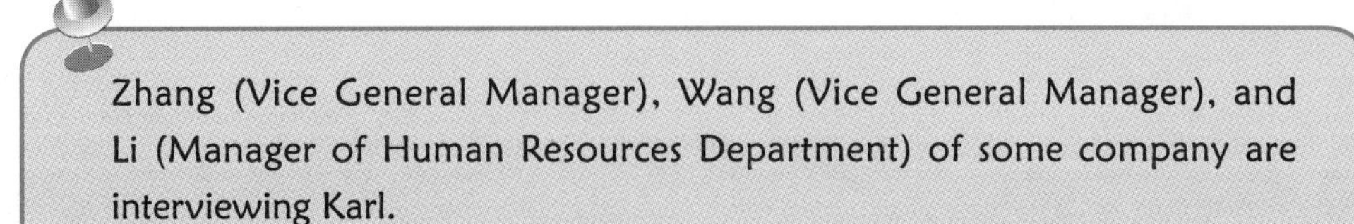

● Li: Nice to meet you! Welcome to our company for an interview! First, Please make a brief introduction about yourself.

○ Karl: Nice to meet you, too! My name is Karl. I'm from Germany and graduated from the University of Munich. My first major is Computer Science.

● Li: Why did you come to China to take the European Union managers training program?

○ Karl: I've always been fascinated by Chinese culture, and I wanted to know more about Chinese companies.

● Wang: How long have you been in China?

○ Karl: 4 months.

● Wang: You speak Chinese very well!

○ Karl: Thank you! I'd been learning Chinese for 3 years before I came here.

● Zhang: How long do you want to work as an intern?

○ Karl: 3 months.

● Li: Within such a short period of time, we may not be able to give you the position of sales manager. You can only do some grass roots work. What do you think?

○ Karl: I don't mind. What's important is I can gain some work experience in China.

● Wang: You won't be handsomely paid during the period of internship. Do you accept that?

○ Karl: No problem. I don't even have to be paid.

● Wang: What do you think you may bring to our company?

○ Karl: My overseas sales experience may help the company know more about overseas markets.

● Li: Could you tell us why we should accept your internship application?

○ Karl: As a foreigner, I may communicate better with foreign customers. And the Chinese customers may find it new to work with a foreigner.

● Zhang: Do you have any questions?

○ Karl: What are my job responsibilities if I am hired?

● Zhang: Still in the line of sales.

○ Karl: Thank you!

● Li: That's all for today. We will inform you later. Good-bye!

○ Karl: Thank you! Bye-bye!

生词 Shēngcí New Words

1. 参加	cānjiā	V	to attend
2. 经理人	jīnglǐrén	N	manager
3. 培训	péixùn	V	to train
4. 一方面……，另一方面……	yì fāngmiàn……，lìng yì fāngmiàn……		on the one hand ... on the other hand
5. 文化	wénhuà	N	culture
6. 感兴趣	gǎn xìngqù		to be interested in
兴趣	xìngqù	N	interest
7. 增进	zēngjìn	V	to enhance
8. 副	fù	Adj	(in job titles) deputy, vice
9. 之前	zhīqián	N	before
10. 担任	dānrèn	V	to work as
11. 基层	jīcéng	N	grass roots
12. 积累	jīlěi	V	to accumulate, to gain
13. 期间	qījiān	N	time, period
14. 基本	jīběn	Adj	basic
15. 海外	hǎiwài	N	overseas, abroad
16. 外国	wàiguó	N	foreign country
17. 沟通	gōutōng	V	to communicate
18. 新鲜	xīnxiān	Adj	new, fresh

专有名词 Zhuānyǒu Míngcí Proper Noun

欧盟	Ōuméng	European Union

注释 Zhùshì Notes

一方面，我一直对中国文化很感兴趣，另一方面，我想增进对中国企业的了解。

I've always been fascinated by Chinese culture, and I wanted to know more about Chinese companies.

“一方面……，另一方面……”，用于并列复句，表示两种或两种以上的做法、原因、目的、条件或结果同时存在。例如：

“一方面……，另一方面……” is used in a coordinate compound sentence, indicating two or more methods, causes, objectives, conditions or results exist at the same time. For example,

① 在这里学习，一方面可以学习汉语，另一方面可以交很多中国朋友。

② 学习汉语时，一方面要多说，另一方面要多听。

③ 他一方面得到了同学们的帮助，另一方面得到了老师的照顾。

一方面学汉语，另一方面交中国朋友

Nǐmen Juéde Shéi Gèng Héshì

你们觉得谁更合适

课文二 Text 2

Who do you think is the most suitable

卡尔离开以后，各位经理开始讨论今天应聘者的情况。

- 李经理：您二位觉得今天应聘者的表现怎么样？
- 张副总：我对3号和8号印象不错。3号很有竞争意识，8号应变能力很强。
- 王副总：我觉得3号表现得太强势了。我对那个叫卡尔的德国人印象很深。
- 李经理：他是想来实习的，咱们要看看能不能让他来。
- 王副总：这个人素质不错。
- 张副总：我对这个人的印象也不错。他有担任市场总监和销售员的经历，积累了一定的营销经验。
- 李经理：一个外国人把汉语说得这么流利，挺难得的。母语是德语，英语也说得不错。真是个人才！

○ 张副总：是啊，语言能力这么强，沟通能力应该也是很强的。

● 王副总：他倒是可以胜任这个工作。可惜，只实习三个月。

○ 李经理：那咱们就同意他来实习？

● 张副总：我看行。

○ 王副总：他就这么定了。其他几个人，你们觉得谁更合适？

● 张副总：我个人觉得他们各有优势。今天8号的表现确实不错。

○ 李经理：小组面试中，3号的组织协调能力不错。

● 王副总：咱们看一下他们的综合成绩吧。

○ 李经理：8号的成绩最高，评语中说他的创新能力和团队合作意识都很强。

● 张副总：那就再约他来谈谈，你们看呢？

○ 王副总：行，不错的话就录用8号吧。

● 李经理：好，我来安排。

※•※

Kǎ'ěr líkāi yǐhòu, gè wèi jīnglǐ kāishǐ tǎolùn jīntiān yìngpìnzhě de qíngkuàng.

● Lǐ jīnglǐ: Nín èr wèi juéde jīntiān yìngpìnzhě de biǎoxiàn zěnmeyàng?

○ Zhāng fùzǒng: Wǒ duì sān hào hé bā hào yìnxiàng búcuò. Sān hào hěn yǒu jìngzhēng yìshi, bā hào yìngbiàn nénglì hěn qiáng.

● Wáng fùzǒng: Wǒ juéde sān hào biǎoxiàn de tài qiángshì le, wǒ duì nàge jiào Kǎ'ěr de Déguó rén yìnxiàng hěn shēn.

○ Lǐ jīnglǐ: Tā shì xiǎng lái shíxí de, zánmen yào kànkan néng bu néng ràng tā lái.

● Wáng fùzǒng: Zhège rén sùzhì búcuò.

○ Zhāng fùzǒng: Wǒ duì zhège rén de yìnxiàng yě búcuò. Tā yǒu dānrèn shìchǎng zǒngjiān hé xiāoshòuyuán de jīnglì, jīlěile yídìng de yíngxiāo jīngyàn.

● Lǐ jīnglǐ: Yí ge wàiguórén bǎ Hànyǔ shuō de zhème liúlì, tǐng nándé de. Mǔyǔ shì Déyǔ, Yīngyǔ yě shuō de búcuò. Zhēn shì ge réncái!

○ Zhāng fùzǒng: Shì a, yǔyán nénglì zhème qiáng, gōutōng nénglì yīnggāi yě shì hěn qiáng de.

● Wáng fùzǒng: Tā dàoshì kěyǐ shèngrèn zhège gōngzuò. Kěxī, zhǐ shíxí sān ge yuè.

○ Lǐ jīnglǐ: Nà zánmen jiù tóngyì tā lái shíxí?

● Zhāng fùzǒng: Wǒ kàn xíng.

○ Wáng fùzǒng: Tā jiù zhème dìng le. Qítā jǐ ge rén, nǐmen juéde shéi gèng héshì?

● Zhāng fùzǒng: Wǒ gèrén juéde tāmen gè yǒu yōushì. Jīntiān bā hào de biǎoxiàn quèshí búcuò.

○ Lǐ jīnglǐ: Xiǎozǔ miànshì zhōng, sān hào de zǔzhī xiétiáo nénglì búcuò.

● Wáng fùzǒng: Zánmen kàn yíxià tāmen de zōnghé chéngjì ba.

○ Lǐ jīnglǐ: Bā hào de chéngjì zuì gāo, píngyǔ zhōng shuō tā de chuàngxīn nénglì hé tuánduì hézuò yìshi dōu hěn qiáng.

● Zhāng fùzǒng: Nà jiù zài yuē tā lái tántan, nǐmen kàn ne?

○ Wáng fùzǒng: Xíng, búcuò de huà jiù lùyòng bā hào ba.

● Lǐ jīnglǐ: Hǎo, wǒ lái ānpái.

※ • ※

After Karl left, the managers start to discuss the applicants' performance today.

● Li: What do you think of the performance of the applicants today?

○ Zhang: No.3 and No.8 impressed me. No.3 has a strong sense of competition and No.8 is very flexible.

● Wang: I think No.3 is too aggressive, and I was deeply impressed by that German boy Karl.

○ Li: He wants to work as an intern. We have to decide whether we can employ him.

● Wang: This man is really good.

○ Zhang: This man gave me a good impression, too. He worked as a CMO and salesman, therefore has some marketing experience.

- ● Li: It's fantastic that a foreigner can speak Chinese so well. His mother tongue is German, and he speaks English well, too. What a talented man he is!
- ○ Zhang: That's right. With such a remarkable language competence, he must have strong communication skills, too.
- ● Wang: It looks like he is qualified for this job. What a pity it is that he can only work as an intern for 3 months!
- ○ Li: Shall we just let him work as an intern?
- ● Zhang: OK!
- ○ Wang: That's settled. What do you think of other candidates?
- ● Zhang: I think they all have different advantages. No.8 did well today.
- ○ Li: In the group interview, No.3 excelled in organization and coordination.
- ● Wang: Let's look at their total performance.
- ○ Li: No.8 has got the highest scores. The comments say that he's very innovative and has a strong team spirit.
- ● Zhang: How about giving him another interview?
- ○ Wang: OK. If everything goes well, we'll hire No.8.
- ● Li: OK, I'll arrange it.

生词 Shēngcí New Words

1. 表现	biǎoxiàn	V / N	to show, to perform; performance
2. 印象	yìnxiàng	N	impression
3. 竞争	jìngzhēng	V	to compete
4. 意识	yìshi	N	sense, awareness
5. 应变	yìngbiàn	V	to cope with change
6. 强势	qiángshì	N	strength
7. 素质	sùzhì	N	quality
8. 营销	yíngxiāo	V	to sell
9. 流利	liúlì	Adj	fluent
10. 难得	nándé	Adj	rare, hard to get

11. 母语	mǔyǔ	N	mother tongue
12. 人才	réncái	N	talent, person with ability
13. 胜任	shèngrèn	V	to be competent for
14. 可惜	kěxī	Adj	what a pity
15. 其他	qítā	Pr	other
16. 协调	xiétiáo	V	to coordinate
17. 评语	píngyǔ	N	comment
18. 创新	chuàngxīn	V / N	to innovate; innovation

注释 Zhùshì Notes

1 一个外国人把汉语说得这么流利，挺难得的。
It's fantastic that a foreigner can speak Chinese so well.

"难得"，形容词，表示不容易得到或做到，有"可贵"的意思。可以作定语和谓语。作定语时一定要带"的"。例如：

"难得" is an adjective meaning "hard to get or accomplish", with the indication of "praiseworthy". It may serve as an attributive or a predicate. It must be followed by "的" when used as an attributive. For example,

① 他是一个难得的人才。

② 这是一个难得的机会。

③ 他生病了还来上课，真难得。

此外，"难得"表示"不常发生"的意思时，作状语。例如：

In addition, "难得" means "seldom happening" when it is used as an adverbial. For example,

④ 你难得来，咱们多聊聊吧。

⑤ 你难得有空儿，就好好儿休息休息。

2 他倒是可以胜任这个工作。It looks like he is qualified for this job.

"倒是"，副词，在这里表示舒缓语气，有时也说"倒"。可用于肯定句中，也可用于否定句中。例如：

"倒是" is an adverb indicating a relaxed tone, "倒" may also be used sometimes. It can be used in either an affirmative or a negative sentence. For example,

① 他倒是挺聪明的。

② 去那儿能认识很多新人（xīn rén, newcomer），倒是一件很有意思的事。

③ 如果你愿意，我倒是可以帮忙。

④ 这里的东西倒不一定比那里的东西贵。

3 可惜，只实习三个月。 What a pity it is that he can only work as an intern for 3 months!

"可惜"，形容词，对所发生的情况表示惋惜。可作状语，用在主语前，也可作谓语、补语。例如：

"可惜" is an adjective, indicating feeling sorry for what has happened. It can be used as an adverbial before a subject. It can also be used as a predicate or complement. For example,

① 我很喜欢这本书，可惜已经卖完了。

② 昨天的电影很好看，可惜我没看。

③ 我新买的自行车丢了，真可惜。

④ 这次比赛我们队只差一分，输得太可惜了！

练习 Liànxí Exercises

一 跟读生词，注意发音和声调。
Read the new words after the teacher and pay attention to your pronunciation and tones.

二 跟读课文，注意语音语调。
Read the texts after the teacher and pay attention to your pronunciation and intonation.

三 学生分组，分角色朗读课文一、二。
Divide the students into groups and read Texts 1 & 2 in roles.

四 学生分组，不看书，分角色表演课文一、二。
Divide the students into groups and play the roles in Texts 1 & 2 without referring to the book.

五 角色扮演。(提示：角色可以互换。)
Role playing. (Note: the roles can be exchanged.)

1. 两人一组，A扮演面试官，B扮演外籍应聘者。B要到A的公司实习，A面试B。或者四人一组，A、B、C扮演面试官，D扮演外籍应聘者。用课文里学过的词语和句子完成对话。
   Students work in pairs. Suppose A is an interviewer and B a foreign interviewee who wants to get an internship at the company A works for. Make an interview between A and B. Students can also work in groups of four, A, B, and C being interviewers and D a foreign interviewee. Complete the dialogue using the words, expressions and sentences you learned in this text.

   内容提示：
   Tips for the conversation:
   (1) 你要在中国实习多长时间？
   (2) 如果只让你做一些基层工作，你觉得可以吗？
   (3) 你觉得你能给我们公司带来什么？
   (4) 可以告诉我，我们为什么要接受你实习吗？
   (5) 你有什么问题要问我们吗？

2. 三人一组，一人扮演人力资源部经理，另两人扮演副总经理，三人评价来应聘销售经理的面试者的情况，每个人都要说出自己的看法。
   Students work in groups of three. Suppose one is the human resource manager and the other two are vice general managers. The three persons are evaluating the interviewed candidates for the position of sales manager.
   提示词语 Hints: 素质 印象 担任 经历 积累 流利 人才 胜任 可惜

六 复述课文一和课文二。
Retell Texts 1 & 2.

七 替换练习。
Substitution drills.

1 卡尔 毕业 于 慕尼黑大学。

这篇文章	写	1989年
他	出生	法国
这种水果	产	中国南方
张经理	毕业	对外经济贸易大学

2 一方面， 我一直对中国文化很感兴趣， 另一方面， 我想增进对中国企业的了解。

要积极发言	要避免攻击别人
可以学习外语	可以交外国朋友
要注意穿着	要注意说话的方式
我对汉语感兴趣	汉语很有用（yǒuyòng, useful）

3 重要的是， 我能积累一些在中国工作的经验。

她有在国外工作的经历
他值得（zhíde, to worth）相信
可以了解中国文化
开拓海外市场

4 我 对 3号和8号的印象 不错。

钱老师	学生	很耐心
这些情况	我们的谈判	很有帮助
张副总	卡尔的表现	很满意
我们	那家公司	不了解

5 一个外国人把汉语说得这么流利， 挺 难得 的。

昨天一直工作到12点	累
今天风很大	冷
他18岁就大学毕业了	聪明
这次谈判	顺利

6 他 倒是 可以胜任这个工作。

这	一件好事（hǎoshì, good deed）
他	挺相信我的
买什么礼物	不用我费心（fèi xīn, to take the trouble）
这次实习	一个了解中国市场的好机会

7 可惜， 只实习三个月。

他们分手了
昨天刚买的自行车丢了
这么漂亮的房子不是我的
我在北京只学了一个月的汉语

八 用下面的词语组成句子。
Make sentences with the following words and expressions.

课文一

1 自己 介绍 先 简单 请 一下

请先简单介绍自己一下

2 参加 来中国 培训 经理人 你 欧盟 为什么

3 来中国 已经 我 学 3年 了 之前 过 汉语

4 我们 不能 让 担任 你 销售 可能 经理

5 积累 一些 我 在 经验 工作 中国 能 的 重要的是

6 期间 我们 的 工资 实习 很少 基本

7 要 为什么 我们 实习 你 接受

8 我 更好 与 沟通 外国 可以 顾客 地

9 今天 就 面试 的 这儿 到

10 我们 再 你 会 的 通知

课文二

1 的 怎么样 表现 觉得 您 应聘者 二位 今天

2 3号 我 太 觉得 强势 表现 得 了

3 来 要 能不能 他 咱们 让 看看

4 素质 人 这 不错 个

5 有 市场总监 他 的 销售员 和 经历

6 沟通 也 很 应该 是 能力 强 的

7 那 同意 就 实习 来 咱们 他

8 我 觉得 他们 个人 优势 各有

9 看 咱们 吧 综合 他们的 一下 成绩

10 他　创新能力　的　团队合作　和　很强　意识　都

九 阅读理解。
Reading comprehension.

我的面试经历

我去面试前没有做什么准备工作。面试的时候，我先简单地介绍了一下自己，然后面试官问我为什么选择他们公司和总经理秘书这个职位。我想了一下，告诉他，我喜欢他们公司的企业文化，而且我的专业就是文秘。更重要的是，我告诉他我有做秘书的经历，有信心做好这份工作。我觉得面试官提问，并不是只想知道问题的答案，他更想通过你的回答了解你的思考方式和快速反应能力。整个面试在一种非常轻松的气氛中进行，我尽量说得让主考官开心，同时也表现出自己的思想。在向面试官提问时，我提出了自己希望的工资要求，我觉得这很正常。一方面，这是对自己能力的一种肯定，另一方面，也显示出我对这家公司的期望和关注。

生词 Shēngcí New Words

1. 提问	tíwèn	V	to ask a question
2. 思考	sīkǎo	V	to think
3. 快速	kuàisù	Adj	quick
4. 反应	fǎnyìng	V	to respond
5. 同时	tóngshí	Conj	at the same time
6. 肯定	kěndìng	V	to affirm
7. 期望	qīwàng	V	to hope, to expect

判断正误：
Decide whether the following statements are true (T) or false (F).

1 我去面试前做了很多准备工作。（ ✗ ）
2 面试时，介绍我自己用了很长时间。（ ✗ ）
3 我的专业适合做总经理秘书这个工作。（ ✓ ）

4 我以前做过秘书工作。 （ ）
5 面试官问问题，只是想知道问题的答案。 （ ）
6 在整个面试中，我都很紧张。 （ ）
7 面试的时候，我想说什么就说什么。 （ ）
8 面试时，我为了让主考官开心，没有自己的看法。 （ ）
9 我觉得可以在面试中提出工资要求。 （ ）

完成任务
Complete the tasks.

1. 调查和交流：Survey and Communicate:

(1) 如果你工作过，请想一想：你工作的公司选择应聘者的标准是什么？录用员工时最注重什么？如果你没有工作过，请向工作过的人调查这些问题。
If you have work experience, please think: What standards were used to evaluate a job applicant in the company you worked for? What were the most important things to be considered when hiring an employee? If you don't have work experience, ask those who do for the answers to these questions.

(2) 请在网上查找一家中国企业或其他国家的知名企业，了解他们的招聘程序以及在面试时最关注什么，最忌讳什么。
Please find a well-known Chinese or foreign company and get to know the dos and don'ts in their recruitment procedure and interview.

(3) 根据上面的调查，几个人一组进行交流，互相介绍自己了解的情况。
Several students work as a group and exchange the information you found.

2. 模拟面试：Simulative interview:

几个人一组，假设一人是应聘者，其他人是面试官。面试官一方设置一个职位并设计一些问题，模拟进行一场面试。
Several students work as a group. Suppose one is the applicant and the others interviewers. The interviewers think of a job vacancy, prepare some questions and conduct a simulated interview.

公司管理
The company management

课文 Text	题目 Title	注释 Notes
一	你们公司也在改革吗 Is there a restructuring going on in your company as well	1. 动词"进行" The verb "进行" 2. "连……都/也……"(复习) The structure "连……都/也……" (Review) 3. 人称代词作定语不加"的"的情况 A personal pronoun used as an attributive without "的" 4. 副词"到底" The adverb "到底" 5. 名词解释:"扁平化管理" Explanation of the noun "扁平化管理" 6. 介词"向" The preposition "向"
二	我非常喜欢现在的工作 I like my job very much	1. 动词"像" The verb "像" 2. 语气助词"呀"(复习) The modal particle "呀" (Review) 3. 名词解释:"世界500强" Explanation of the noun "世界500强" 4. 助词"什么的" The particle "什么的" 5. 动词"吃醋" The verb "吃醋"

Nǐmen Gōngsī Yě Zài Gǎigé ma

你们公司也在改革吗

Is there a restructuring going on in your company as well

课文一 Text 1

张远、康爱丽、卡尔、李明明在酒吧里聊天儿。

● 卡　尔：爱丽，你最近一下课就走，忙什么呢？

○ 康爱丽：我们公司刚并购了几家公司，现在正在进行组织结构的调整。

● 张　远：你的生意越做越大了，恭喜你！

○ 康爱丽：快别恭喜了，先同情一下我吧，我都快忙死了。

● 卡　尔：公司改革的时候肯定忙。别说你这个老总了，就连我这个实习生都忙得很。

○ 李明明：你们公司也在改革吗？

● 卡　尔：是呀，我们公司实行了事业部制度。每种产品都有自己独立的研发部、生产部和销售部，组成独立的产品事业部。

○ 康爱丽：看来我们是同病相怜啊！还是张远最舒服了，没有什么压力。

● 张　远：我本来没什么压力，可是我女朋友给了我很大的压力。

○ 卡　尔：怎么啦？她逼你结婚啦？

● 张　远：比这还严重！

○ 李明明：到底是什么压力呀？

● 张　远：他们集团重组后要优化组织结构。所以，公司也在搞扁平化改革，减少管理层级，精简业务流程。

○ 李明明：你女朋友被裁了？

● 张　远：不是。以前她都是向部门总监汇报工作，现在总监被取消了，她得直接向公司的副总经理汇报工作。

○ 卡　尔：这样不是挺好的吗？工作效率应该比以前高多了吧？

● 张　远：是的，而且发展机会也多了不少，但是她的责任更重了，所以压力也更大了。

○ 康爱丽：所以她一见到你就会跟你说，她的压力有多大，她的工作有多忙，是吗？

● 张　远：没错儿，还是你们女人比较了解女人。

○ 卡　尔：哦，我明白爱丽为什么叫我们来喝酒了，哈哈……

※•※

Zhāng Yuǎn、Kāng Àilì、Kǎ'ěr、Lǐ Míngming zài jiǔbā li liáotiānr.

● Kǎ'ěr: Àilì，nǐ zuìjìn yí xiàkè jiù zǒu，máng shénme ne?

○ Kāng Àilì: Wǒmen gōngsī gāng bìnggòule jǐ jiā gōngsī，xiànzài zhèngzài jìnxíng zǔzhī jiégòu de tiáozhěng.

● Zhāng Yuǎn: Nǐ de shēngyi yuè zuò yuè dà le, gōngxǐ nǐ!

○ Kāng Àilì: Kuài bié gōngxǐ le, xiān tóngqíng yíxià wǒ ba, wǒ dōu kuài mángsǐ le.

● Kǎ'ěr: Gōngsī gǎigé de shíhou kěndìng máng. Biéshuō nǐ zhège lǎozǒng le, jiù lián wǒ zhège shíxíshēng dōu máng de hěn.

○ Lǐ Míngming: Nǐmen gōngsī yě zài gǎigé ma?

● Kǎ'ěr: Shì ya, wǒmen gōngsī shíxíngle shìyèbù zhìdù. Měi zhǒng chǎnpǐn dōu yǒu zìjǐ dúlì de yánfābù、shēngchǎnbù hé xiāoshòubù, zǔchéng dúlì de chǎnpǐn shìyèbù.

○ Kāng Àilì: Kànlái wǒmen shì tóng bìng xiāng lián a! Háishi Zhāng Yuǎn zuì shūfu le, méiyǒu shénme yālì.

● Zhāng Yuǎn: Wǒ běnlái méi shénme yālì, kěshì wǒ nǚpéngyou gěile wǒ hěn dà de yālì.

○ Kǎ'ěr: Zěnme la? Tā bī nǐ jiéhūn la?

● Zhāng Yuǎn: Bǐ zhè hái yánzhòng!

○ Lǐ Míngming: Dàodǐ shì shénme yālì ya?

● Zhāng Yuǎn: Tāmen jítuán chóngzǔ hòu yào yōuhuà zǔzhī jiégòu. Suǒyǐ, gōngsī yě zài gǎo biǎnpínghuà gǎigé, jiǎnshǎo guǎnlǐ céngjí, jīngjiǎn yèwù liúchéng.

○ Lǐ Míngming: Nǐ nǚpéngyou bèi cái le?

● Zhāng Yuǎn: Bú shì. Yǐqián tā dōu shì xiàng bùmén zǒngjiān huìbào gōngzuò, xiànzài zǒngjiān bèi qǔxiāo le, tā děi zhíjiē xiàng gōngsī de fùzǒngjīnglǐ huìbào gōngzuò.

○ Kǎ'ěr: Zhèyàng bú shì tǐng hǎo de ma? Gōngzuò xiàolǜ yīnggāi bǐ yǐqián gāoduō le ba?

● Zhāng Yuǎn: Shì de, érqiě fāzhǎn jīhui yě duōle bù shǎo, dànshì tā de zérèn gèng zhòng le, suǒyǐ yālì yě gèng dà le.

○ Kāng Àilì: Suǒyǐ tā yí jiàndào nǐ jiù huì gēn nǐ shuō, tā de yālì yǒu duō dà, tā de gōngzuò yǒu duō máng, shì ma?

● Zhāng Yuǎn: Méi cuòr, háishi nǐmen nǚrén bǐjiào liǎojiě nǚrén.

○ Kǎ'ěr: Ò, wǒ míngbai Àilì wèi shénme jiào wǒmen lái hē jiǔ le, hāhā……

※・※

Zhang Yuan, Alice Clement, Karl and Li Mingming chat in a bar.

● Karl: What are you busy with, Alice? You leave school right after class recently.

○ Alice: Our company has just taken over a few businesses and has been restructuring.

● Zhang Yuan: Your business is becoming bigger! Congratulations!

○ Alice: Wait, please show sympathy to me first. I'm almost up to my neck with my work.

● Karl: You must have been busy when a reform is going on in a company. An intern like me is as busy as a bee, let alone a boss like you.

○ Li Mingming: Is there a reform going on in your company as well?

● Karl: Yes, our company has been restructured into several divisions. Every product has its own independent R&D department, production department and sales department, forming independent product divisions.

○ Alice: It seems we are fellow sufferers! Zhang Yuan is the luckiest one who has no pressure.

● Zhang Yuan: I didn't before, but my girlfriend puts so much pressure on me.

○ Karl: What's the matter? Does she force you to marry her?

● Zhang Yuan: Worse than that!

○ Li Mingming: What on earth is the pressure?

● Zhang Yuan: The group she works for is going to optimize its organization of production after restructuring. So the company is also undergoing a flat management reform, reducing management levels and simplifying operational procedures.

○ Li Mingming: So was your girlfriend laid off?

● Zhang Yuan: No. She used to report to the director of her department before, but now this position is gone, and she has to report directly to the vice general manager of the company.

○ Karl: Isn't that good? Isn't the work efficiency improved?

● Zhang Yuan: Right, and there are more opportunities for further development. But she has more responsibilities and therefore is under more pressure.

○ Alice: So she babbles about how much pressure she has, how busy she is as soon as she meets you, right?

● Zhang Yuan: Exactly. Women know each other better.

○ Karl: Oh, now I know why Alice invited us for a drink, ha-ha…

生词 Shēngcí New Words

1. 改革	gǎigé	V	to reform
2. 下课	xià kè	V//O	to dimiss a class
3. 并购	bìnggòu	V	to merge and acquire
4. 结构	jiégòu	N	structure
5. 调整	tiáozhěng	V	to adjust
6. 恭喜	gōngxǐ	V	to congratulate
7. 同情	tóngqíng	V	to sympathize
8. 肯定	kěndìng	Adv	definitely, undoubtedly
9. 老	lǎo	Pref	*a prefix*
10. 实习生	shíxíshēng	N	intern
11. 实行	shíxíng	V	to put into practice
12. 事业部	shìyèbù	N	division, department
13. 制度	zhìdù	N	system
14. 独立	dúlì	Adj	independent
15. 研发	yánfā	V	R&D (research and development)
16. 组成	zǔchéng	V	to form, to compose
17. 同病相怜	tóng bìng xiāng lián		fellow sufferers have mutual sympathy
18. 本来	běnlái	Adv	originally, at first
19. 女朋友	nǚpéngyou	N	girlfriend
20. 逼	bī	V	to force, to press
21. 结婚	jié hūn	V//O	to marry, to get married

22. 到底	dàodǐ	Adv	on earth
23. 重组	chóngzǔ	V	to restructure, to reorganize
24. 优化	yōuhuà	V	to optimize
25. 搞	gǎo	V	to do, to carry on, to be engaged in
26. 扁平化	biǎnpínghuà	V	to flatten (the organizational structure)
27. 减少	jiǎnshǎo	V	to decrease, to reduce
28. 层级	céngjí	N	subordinate administrative level
29. 精简	jīngjiǎn	V	to downsize, to simplify
30. 流程	liúchéng	N	procedure
31. 裁	cái	V	to cut down, to reduce
32. 汇报	huìbào	V	to report
33. 重	zhòng	Adj	heavy
34. 女人	nǚrén	N	woman
35. 哈哈	hāhā	Int	*the sound of laughter*

注释 Zhùshì Notes

1 我们公司刚并购了几家公司，现在正在进行组织结构的调整。
Our company has just taken over a few businesses and has been restructuring.

"进行"，动词，表示从事某种活动的意思。"进行＋宾语"表示从事持续性的活动，宾语代表所从事的活动。"进行"后面常常带动词宾语；可以带"了"、"过"。例如：

"进行" is a verb, indicating doing something. "进行+ object" indicates doing some continuous activity, which is represented by the object. "进行" is often followed by a verb as its object. It can take "了" or "过". For example,

① 会议正在进行。

② 会上，大家就（jiù, with regard to）寻找合作厂家的问题进行了认真的讨论。

③ 这两家的产品，我们进行过比较了。

注意：Notes：

（1）“进行”后面的宾语一般是双音节的，不能是单音节词。例如：

“进行” is usually followed by an object of a disyllabic word, not a monosyllabic one. For example,

进行查（×）	进行比（×）	进行谈（×）
进行调查（√）	进行比较（√）	进行谈判（√）

（2）当宾语是动词时，后面不能再带宾语。如果必须要给宾语里的动作加一个受事，可以在“进行”前用介词“对”引进受事。例如：

When the object is a verb, it cannot be followed by an object. If there is a recipient for the action, the preposition “对” is used before “进行”. For example,

④ 我们进行调查了当地（dāngdì, local）市场的情况。（×）
⑤ 我们对当地市场的情况进行了调查。（√）
⑥ 我们要进行帮助他。（×）
⑦ 我们要对他进行帮助。（√）

（3）“进行”总是用于持续性的和正式的、严肃的行为，不用于短暂性的、日常生活中的行为，如不能说“进行午睡（wǔshuì, to take a nap）”、“进行叫喊（jiàohǎn, to scream）”、“进行说话”。

“进行” is always used to refer to continuous, formal and serious actions, not temporary daily actions. For example, “进行午睡”, “进行叫喊” or “进行说话” is not proper.

2 别说你这个老总了，就连我这个实习生都忙得很。
An intern like me is as busy as a bee, let alone a boss like you.

“连……都/也……”，给出一个极端的例子，来阐述自己想说的结论。“连”，这里是介词，强调某种人或事物。“连”的后面用“都、也、还”等词语呼应，前面可以加“甚至”。“连”引进话题对比的焦点，强调突出的事例，后面的句子说出一般的情况、结果。例如：

“连……都/也……” is used to give an extreme example to illustrate a conclusion one wants to state. “连” is a preposition used to emphasize somebody or something. It is followed by a word such as “都”, “也” or “还” and can be preceded by “甚至”. “连” introduces the focus of the topic and emphasizes the thing that is given prominence to. The general situation or result is stated in the following sentence. For example,

① 我连这个人的名字都没有听过，怎么会认识他呢？
② 学了三个月的汉语，她连自己的中文名字还不会写。
③ 连这家公司的产品是什么还不了解，怎么谈判呢？
④ 这家饭馆的服务员连一句英文也不会说。

“连……都 / 也”常和“别说”组成“别说 A，连 B 都 / 也 X”的结构，表示让步，意思是，B 这个极端的情况都 X 了，A 就更 X 了。

“连……都/也” is often used with “别说” to form the structure of “别说A，连B都/也X” indicating concession. It means even B becomes X under such an extreme situation, let alone A.

3 可是我女朋友给了我很大的压力。But my girlfriend puts so much pressure on me.

这里人称代词“我”作定语，后面没有加“的”。人称代词作定语表示领属关系时，后面一般要加“的”。例如：

The personal pronoun “我” is used as an attributive without “的”. When a personal pronoun used as an attributive to indicate a possessive relationship, it is generally followed by “的”. For example,

① 我的工作很好。

② 你的工资怎么花（huā, to spend）？

③ 他们的产品质量不合格。

人称代词作定语时，也有后面不用“的”情况。具体有：

Sometimes a personal pronoun used as an attributive may not be followed by “的”：

（1）当定语后的中心语是对人的称呼或集体、机构的名称时，人称代词后可以用“的”，但在口语中，多不用“的”。例如：

When the modified word after the attributive is a form of address or the name of an organization, the personal pronoun may be followed by “的”, but “的” is usually omitted in oral Chinese. For example,

④ 你妈妈是上个月来北京的吗？

⑤ 她爱人是我们公司的总经理。

⑥ 夏天我想去他们国家旅游。

⑦ 我们班（的）学生都是欧盟经理人。

（2）人称代词修饰方位词、处所词时多不用“的”。例如：

When a personal pronoun modifies a word of locality or place, “的” is usually not used. For example,

⑧ 我们办公室很小。

⑨ 王经理就在你后边。

⑩ 他们厂在我们学校旁边。

（3）在口语中，表示疑问或反问时，人称代词的后面可以不加“的”。例如：

“的” after the personal pronoun can be omitted in an interrogative or a rhetorical question in spoken Chinese. For example,

⑪ 我词典怎么在你那儿?

⑫ 你手表不是戴在你手上吗?

(4)有些名词作定语时不表示领属关系，而是表示人的职业或事物的原料、来源、属性等，是描写性定语，这时，定语和后面的中心语结合得很紧密，意义上有一定的熟语性，一般不用“的”，有的不能用“的”。例如：

Some nouns used as attributives may not indicate a possessive relationship, but serve as descriptive attributives referring to the profession of a person or material, source or property of a thing. In this case, the attributive and the noun followed combine closely as an idiomatic phrase, in which “的” is usually omitted. Sometimes it is improper to use “的”. For example,

⑬ 口语老师 (口语的老师 ×)

⑭ 销售经理 (销售的经理 ×)

⑮ 皮(pí, leather)手套(shǒutào, gloves) (皮的手套 ×)

⑯ 京剧(jīngjù, Beijing opera)故事(gùshi, story) (京剧的故事 ×)

⑰ 历史问题 (历史的问题 ×)

4 到底是什么压力呀? What on earth is the pressure?

“到底”，副词，这里表示进一步追究。“到底”作状语，修饰动词、形容词，只能用在表示疑问的词语前面，句中不能用“吗”。多用在口语中。例如：

“到底”, an adverb, similar to “on earth” in English. “到底” serves as an adverbial, modifying a verb or an adjective. It can only be used before an interrogative word without “吗”. It is more often used in oral Chinese. For example,

① 他到底会不会说汉语?

② 你怎么哭了? 到底发生什么事了?

③ 你一会儿想去学校的食堂，一会儿想去饭馆，你到底想去哪儿吃饭?

④ 你到底吃没吃? (√)

⑤ 你到底吃了吗? (×)

如果主语是疑问代词，“到底”只能用在主语前。例如：

“到底” can only be used before a subject if the subject is an interrogative pronoun. For example,

⑥ 到底谁是你们的经理? (√)

⑦ 谁到底是你们的经理? (×)

5 公司也在搞扁平化改革，……
The company is also undergoing a flat management reform ...

“扁平化管理”，一种新的管理模式，是相对于传统的“金字塔”式管理模式来说的。“金字塔”式组织结构是和集权管理体制相适应的。扁平化管理则是通过减少管理层次、裁减冗余人员、增加管理幅度、建立扁平化组织结构来提高企业的经营管理效率和市场竞争力。比如，从董事长、总经理一直到最底层的管理人员，管理的层次越少，管理模式越扁平化。在现代企业组织结构中，“金字塔”式管理和扁平化管理共存。

The flat management is a new mode of management compared with the traditional mode of the “pyramid” management. The “pyramid” organization structure adopts to the hierarchical management system, while the flat management improves management efficiency and market competitiveness of a company by cutting down management levels and redundant personnel, broadening the span of management and establishing a flat model. For example, from president, general manager down to the grass roots managers, the fewer levels of management in a company, the flatter management mode it becomes. The two management modes co-exist in the organization structure of modern enterprises.

扁平化管理可以加快信息传递速度，使决策更快、更有效率；可以减少企业员工，降低企业成本；可以使企业实施“分权”，减少层层汇报，让每个中层管理者拥有更大的自主权，以便更快地决策。

The flat management accelerates message transmission and makes decision-making faster and more effective; it also reduces the number of employees and lowers the cost of the company; moreover, it can “decentralize the power” and cut down the hierarchical reports, thus empowering the middle-level managers to make a faster decision.

最早实践扁平化管理的是美国通用电气公司。1981 年，韦尔奇担任通用电气首席执行官时，公司从董事长到现场管理员之间的管理层数多达 24～26 层。韦尔奇上任后，通过采取“无边界行动”、“零管理层”等管理措施，使公司管理层级数减少到 5～6 层，为企业节省了大笔开支，使企业的管理效率和经济效益均大幅提高。

General Electric (GE) of the United States is the company that firstly carried out the flat management. When Jack Welch became CEO of GE in 1981, there were 24~26 levels from president to site administrator in the company. After Welch took office, he took a series of measures and reduced the management levels to 5~6 levels, thus greatly cutting down the company’s expenditure and improving the management and economic returns.

6 以前她都是向部门总监汇报工作。
She used to report to the director of her department before.

“向”，介词，引进动作行为的对象，跟名词短语或代词组成介词短语。只用在动词前，如果句中有助动词，助动词要放在“向”的前面。例如：

“向” is a preposition, introducing the object of a verb and forming a prepositional phrase with a noun phrase or a pronoun. It can only be used before a verb. If there is an auxiliary verb in the sentence, it is put before “向”. For example,

① 你要用汉语向客户介绍这件产品。

② 他向张老师借了一本书。

③ 我们应该向跨国公司（kuàguó-gōngsī, multinational corporation）学习管理。

④ 我们得向银行交手续费。

Wǒ Fēicháng Xǐhuan Xiànzài de Gōngzuò
我非常喜欢现在的工作

课文二 Text 2　I like my job very much

李明明、张远和卡尔在咖啡馆里边喝边聊。

● 李明明：张远，你该实习了吧？找到单位了吗？

○ 张　远：找到了，在一家广告公司实习。

● 卡　尔：公司怎么样？

○ 张　远：还行，公司的规模不太大，不过服务的客户都挺大的，很多是国内外的知名企业，像西门子呀、中石化呀。有的还是"世界500强"呢！

● 卡　尔：你具体做什么工作？

○ 张　远：我在企划部，做产品的营销策划工作。

● 卡　尔：这不是你一直想做的工作吗？

○ 张　远：没错儿，我非常喜欢现在的工作。

● 李明明：真羡慕你，能做自己喜欢的工作。

○卡　尔：你们公司对新员工进行培训吗？

●张　远：当然了。员工得到提升的时候，公司也要对他们进行培训。

○卡　尔：很多公司常组织员工参加拓展训练，你们公司呢？

●张　远：也挺多的。我们部门的团队合作意识很强，常赢。

○李明明：你们的老板怎么样？

●张　远：我觉得他的管理理念非常好，是一位儒商。

○李明明：这类商人讲求的是管理要人性化，要有社会责任感。

●张　远：是，我们老总经常参加公益活动，捐助了好几所小学。

○卡　尔：你们公司的企业文化很有特色。

●张　远：老板还常对我们说，做生意要讲诚信。

○李明明：看来，你很崇拜他。

●卡　尔：那公司给员工提供的发展机会多不多？

○张　远：挺多的。而且我觉得我的能力得到了充分发挥。

●卡　尔：你既然对这个公司这么满意，以后就留在这个公司工作吧。

○张　远：只要公司愿意继续用我，我就会留下来。

●卡　尔：那你就好好儿努力吧，争取在两年之内当个副总经理或者总裁助理什么的。

○张　远：等明明研究生毕业的时候，就可以把她招进来了，是吗？

●卡　尔：没错儿！哎，张远，要是这样的话，你女朋友会不会吃醋呢？呵呵……

※·※

Lǐ Míngming、Zhāng Yuǎn hé Kǎ'ěr zài kāfēiguǎn li biān hē biān liáo.

● Lǐ Míngming: Zhāng Yuǎn, nǐ gāi shíxí le ba? Zhǎodào dānwèi le ma?

○ Zhāng Yuǎn: Zhǎodào le, zài yì jiā guǎnggào gōngsī shíxí.

● Kǎ'ěr: Gōngsī zěnmeyàng?

○ Zhāng Yuǎn: Hái xíng, gōngsī de guīmó bú tài dà, búguò fúwù de kèhù dōu tǐng dà de, hěn duō shì guónèi-wài de zhīmíng qǐyè, xiàng Xīménzǐ ya、Zhōng Shí Huà ya. Yǒude hái shì "shìjiè wǔbǎi qiáng" ne!

● Kǎ'ěr: Nǐ jùtǐ zuò shénme gōngzuò?

○ Zhāng Yuǎn: Wǒ zài qǐhuàbù, zuò chǎnpǐn de yíngxiāo cèhuà gōngzuò.

● Kǎ'ěr: Zhè bú shì nǐ yìzhí xiǎng zuò de gōngzuò ma?

○ Zhāng Yuǎn: Méi cuòr, wǒ fēicháng xǐhuan xiànzài de gōngzuò.

● Lǐ Míngming: Zhēn xiànmù nǐ, néng zuò zìjǐ xǐhuan de gōngzuò.

○ Kǎ'ěr: Nǐmen gōngsī duì xīn yuángōng jìnxíng péixùn ma?

● Zhāng Yuǎn: Dāngrán le. Yuángōng dédào tíshēng de shíhou, gōngsī yě yào duì tāmen jìnxíng péixùn.

○ Kǎ'ěr: Hěn duō gōngsī cháng zǔzhī yuángōng cānjiā tuòzhǎn xùnliàn, nǐmen gōngsī ne?

● Zhāng Yuǎn: Yě tǐng duō de. Wǒmen bùmén de tuánduì hézuò yìshi hěn qiáng, cháng yíng.

○ Lǐ Míngming: Nǐmen de lǎobǎn zěnmeyàng?

● Zhāng Yuǎn: Wǒ juéde tā de guǎnlǐ lǐniàn fēicháng hǎo, shì yí wèi rúshāng.

○ Lǐ Míngming: Zhè lèi shāngrén jiǎngqiú de shì guǎnlǐ yào rénxìnghuà, yào yǒu shèhuì zérèngǎn.

● Zhāng Yuǎn: Shì, wǒmen lǎozǒng jīngcháng cānjiā gōngyì huódòng, juānzhùle hǎojǐ suǒ xiǎoxué.

○ Kǎ'ěr: Nǐmen gōngsī de qǐyè wénhuà hěn yǒu tèsè.

● Zhāng Yuǎn: Lǎobǎn hái cháng duì wǒmen shuō, zuò shēngyi yào jiǎng chéngxìn.

○ Lǐ Míngming: Kànlái, nǐ hěn chóngbài tā.

● Kǎ'ěr: Nà gōngsī gěi yuángōng tígōng de fāzhǎn jīhui duō bu duō?

○ Zhāng Yuǎn: Tǐng duō de. Érqiě wǒ juéde wǒ de nénglì dédàole chōngfèn fāhuī.

● Kǎ'ěr: Nǐ jìrán duì zhège gōngsī zhème mǎnyì, yǐhòu jiù liú zài zhège gōngsī gōngzuò ba.

○ Zhāng Yuǎn: Zhǐyào gōngsī yuànyì jìxù yòng wǒ, wǒ jiù huì liú xialai.

● Kǎ'ěr: Nà nǐ jiù hǎohāor nǔlì ba, zhēngqǔ zài liǎng nián zhīnèi dāng ge fùzǒngjīnglǐ huòzhě zǒngcái zhùlǐ shénmede.

○ Zhāng Yuǎn: Děng Míngming yánjiūshēng bìyè de shíhou, jiù kěyǐ bǎ tā zhāo jinlai le, shì ma?

● Kǎ'ěr: Méi cuòr! Āi, Zhāng Yuǎn, yàoshi zhèyàng dehuà, nǐ nǚpéngyou huì bu huì chīcù ne? Hēhē……

※ • ※

Li Mingming, Zhang Yuan and Karl have a drink and chat in a cafe.

● Li Mingming: It must be the time for you to do the internship, Zhang Yuan. Have you found a company for it?

○ Zhang Yuan: Yes, I have. Now I'm an intern in an advertising company.

● Karl: How do you like the company?

○ Zhang Yuan: It's OK. It's not a big company, but many of our customers are nationally and internationally renowned companies, like Siemens, Sinopec, etc. Some of them are listed on Fortune 500.

● Karl: What are your job responsibilities?

○ Zhang Yuan: I'm in the Planning Department in charge of the marketing planning for products.

● Karl: Isn't that the work you always wanted?

○ Zhang Yuan: Exactly, I like my job very much.

● Li Mingming: I really envy you for your being able to do the job you like.

○ Karl: Does your company provide training programs for new employees?

● Zhang Yuan: Of course, it does. It also provides training opportunities for those who are newly-promoted.

○ Karl: Many companies often organize their employees to participate in a field training. What about yours?

● Zhang Yuan: We also have opportunities like that. All the people in this department have a very strong team spirit and we win most of the times.

○ Li Mingming: How is your boss?

● Zhang Yuan: I feel he is a Confucian merchant with good management concepts.

○ Li Mingming: Those Confucian merchants value a humanistic way of management and a sense of social responsibility.

● Zhang Yuan: Yes, my boss often takes part in public welfare activities and he made donations to several primary schools.

○ Karl: The company you work for has a very distinctive corporate culture.

● Zhang Yuan: My boss often tells us honesty is the best policy in business.

○ Li Mingming: It looks like that you admire him a lot!

● Karl: Does your company provide a good many opportunities for employees' development?

○ Zhang Yuan: Sure. And I feel I can give full play to my abilities.

● Karl: Since you're so satisfied with this company, yon can stay to work for it after the internship.

○ Zhang Yuan: As long as the company is willing to hire me, I'd love to stay.

● Karl: Then just work hard and endeavour to earn the position of the vice general manager or the assistant to the president within two years.

○ Zhang Yuan: And recruit Mingming when she graduates, right?

● Karl: Right! Look, Zhang Yuan, if so, will your girlfriend be jealous? Ha-ha...

生词 Shēngcí New Words

1. 规模	guīmó	N	scale, scope
2. 服务	fúwù	V	to serve
3. 国内外	guónèi-wài		home and abroad
4. 知名	zhīmíng	Adj	famous
5. 像	xiàng	V	to be like
6. 企划	qǐhuà	V	to plan (for projects of a company)

7. 策划	cèhuà	V	to plan, to scheme
8. 提升	tíshēng	V	to promote
9. 赢	yíng	V	to win
10. 理念	lǐniàn	N	concept, idea
11. 儒商	rúshāng	N	Confucian merchant, Confucian businessman
12. 商人	shāngrén	N	merchant, businessman
13. 讲求	jiǎngqiú	V	to be particular about, to pay attention to
14. 人性化	rénxìnghuà	V	humanity
化	huà	Suf	*a suffix*
15. 社会	shèhuì	N	society
16. 感	gǎn	Suf	*a suffix*
17. 公益	gōngyì	N	public welfare
18. 捐助	juānzhù	V	to donate
19. 好几	hǎojǐ	Nu	several
20. 小学	xiǎoxué	N	primary school
21. 特色	tèsè	N	characteristic, feature
22. 崇拜	chóngbài	V	to admire, to worship
23. 充分	chōngfèn	Adj	enough, sufficient
24. 发挥	fāhuī	V	to give play to
25. 留	liú	V	to stay
26. 好好儿	hǎohāor	Adv	all out
27. 争取	zhēngqǔ	V	to endeavour
28. 总裁	zǒngcái	N	president
29. 助理	zhùlǐ	N	assistant
30. 什么的	shénmede	Pt	and so on
31. 吃醋	chī cù	V//O	to be jealous

专有名词 Zhuānyǒu Míngcí Proper Nouns

1. 西门子 Xīménzǐ Siemens, a German large multinational conglomerate in Europe
2. 中石化 Zhōng Shí Huà Sinopec, one of the major petroleum companies in China

注释 Zhùshì Notes

1 很多是国内外的知名企业，像西门子呀、中石化呀。

Many of our customers are nationally and internationally renowned companies, like Siemens, Sinopec, etc.

"像"，动词，"如、比如"的意思，常用来举例。句末常常加"什么的"或者"等等"，表示还有很多没说完。"像"可以带名词宾语，不能带"了、着、过"，不能带补语。例如：

"像" is a verb meaning "to be like" and is often used to give examples. A word such as "什么的" or "等等" is often put at the end of the sentence to mean there are still many not mentioned. "像" can be followed by a noun as its object. But neither "了", "着", "过" nor a complement can be used after it. For example,

① 我们学校附近有很多大超市，像沃尔玛、家乐福，等等。
② 像法国、德国、美国、日本等很多国家都有这家跨国公司的分公司。
③ 他去过很多北京的名胜古迹，像故宫、长城、颐和园什么的。
④ 像北京、天津、上海、重庆（Chóngqìng, name of a city）都是中国的大城市。

2 很多是国内外的知名企业，像西门子呀、中石化呀。

Many of our customers are nationally and internationally renowned companies, like Siemens, Sinopec, etc.

"呀"，语气助词，"啊"的语音变体。在正式场合常读"啊"，在日常生活中说"呀"等比较多。这里"呀"（"啊"）在句中表示停顿，用来列举。例如：

"呀" is a modal particle and is a variant of "啊". It is pronounced as "啊" on a formal occasion and is usually pronounced as "呀" in daily life. In this sentence, the word "呀"（"啊"）indicates a pause and is used for enumeration. For example,

① 商业发票呀、保险单据呀、质检报告呀……他们提供的单证很齐全。

② 什么苹果啊、梨啊、橘子啊，她买了很多水果。

3 有的还是“世界 500 强”呢！ Some of them are listed on Fortune 500.

“世界 500 强”，是中国对美国《财富》杂志每年评选的“全球最大 500 家公司”排行榜的一种约定俗成的叫法。《财富》杂志是美国人亨利·卢斯 1929 年在经济萧条的背景下创办的。

“世界500强” is how the Chinese customarily refer to the annual ranking list of “Fortune Global 500” by *Fortune* of the USA. In 1929 an American Henry Luce founded the magazine against the backdrop of the economic recession.

和同样推出公司排行榜的《福布斯》和《商业周刊》相比，《财富》的“500 强”以销售收入为依据进行排名，比较重视企业规模；而《福布斯》综合考虑年销售额、利润、总资产和市值，《商业周刊》则是把市值作为主要依据。另外，《福布斯》的“500 强”排名不包括美国公司，《商业周刊》的排名仅限于发达国家，而《财富》是对世界各国的企业进行排名。

Compared with the companies listed by *Forbes* and *BusinessWeek*, Fortune 500 are ranked according to the sales revenues with importance attached to the size of the companies. *Forbes* takes into consideration of the annual sales revenue, profit, total assets and market value; *BusinessWeek* takes the market value of a company as the major criterion. In addition, *Forbes* 500 does not include American companies. The ranking of *BusinessWeek* is confined to developed countries, while *Fortune* ranks enterprises of the whole world.

4 争取在两年之内当个副总经理或者总裁助理什么的。
...endeavour to earn the position of the vice general manager or the assistant to the president within two years.

“什么的”，助词，用在一个成分或并列的几个成分之后，表示列举不尽，有“……之类”的意思，相当于“等等”。常用在口语中。例如：

“什么的” is a particle used after enumerating one or more parallel elements to mean there are more to come, similar to “etc.” in English. It is more often used in oral Chinese. For example,

① 周末的时候，我一般在家上上网、看看电影什么的。

② 他常常去运动，像游泳、打球、跑步什么的，他都喜欢。

③ 那家商店的东西不错，毛衣、裤子（kùzi, trousers）、鞋子（xiézi, shoes）什么的，质量都很好。

5 要是这样的话，你女朋友会不会吃醋呢？ If so, will your girlfriend be jealous?

“吃醋”，动词，产生嫉妒情绪的意思。这个词有一个典故，传说唐朝皇帝唐太宗为了笼络人心，送给宰相房玄龄两名美女，房玄龄的妻子因为嫉妒，坚决不同意。皇帝没办法，就让房夫人在“喝毒酒”和“同意”中选择一项。没想到房夫人宁愿死也不同意，选择了“喝毒酒”。房夫人喝完后，才发现杯中不是毒酒，而是可以食用的醋。后来，人们就把男女情爱嫉妒竞争说成“吃醋”。“吃醋”就成了嫉妒的比喻语。例如：

“吃醋” is a verb, meaning “to be jealous”. Legend has it that the emperor Taizong of the Tang Dynasty gave two beautiful girls to the prime minister Fang Xuanling. But Fang’s wife strongly disagreed with the idea out of jealousy. Then the emperor ordered Fang’s wife to make a choice between agreement and the poisoned wine. To his surprise, Mrs. Fang chose the latter. She would rather die than agree. After Mrs. Fang drank it, she found what she drank was not poisoned wine, but vinegar. Later, “吃醋” is metaphorically used to indicate jealousy. For example,

① 她男朋友（nánpéngyou, boyfriend）特别爱吃醋。

② 她是我的一个同学，你吃什么醋啊？

练习 Liànxí Exercises

一 跟读生词，注意发音和声调。
Read the new words after the teacher and pay attention to your pronunciation and tones.

二 跟读课文，注意语音语调。
Read the texts after the teacher and pay attention to your pronunciation and intonation.

三 学生分组，分角色朗读课文一、二。
Divide the students into groups and read Texts 1 & 2 in roles.

四 学生分组，不看书，分角色表演课文一、二。
Divide the students into groups and play the roles in Texts 1 & 2 without referring to the book.

五 角色扮演。（提示：角色可以互换。）
Role playing. (Note: the roles can be exchanged.)

两人一组，A扮演一个刚找到工作的人，B扮演他的朋友，A和B谈起一些和A的工作有关的情况。请用课文里学过的词语和句子完成对话。

Students work in pairs. Suppose A is a new employee and B is his friend. A is talking with B about his job. Please complete the dialogue using the words, expressions and sentences you learned in the texts.

内容提示：

Tips for the conversation:

（1）你们公司的组织结构是什么样的？这种结构有什么优点和缺点？
（2）你觉得这个公司需要改革吗？为什么？
（3）你的工作压力大不大？
（4）这个公司对员工进行培训吗？什么时候培训？
（5）这个公司经常组织员工参加拓展训练吗？你认为拓展训练的作用是什么？
（6）你觉得这个公司的老板怎么样？他的管理理念和管理方法好吗？为什么？
（7）你觉得在这个公司工作，自己的能力能得到很好的发挥吗？为什么？

六 复述课文一和课文二。
Retell Texts 1 & 2.

七 替换练习。
Substitution drills.

1 公司 正在进行 组织结构 的 调整。

我们公司	事业部	重组
中国	教育体制（tǐzhì, system）	改革
中国	产业（chǎnyè, industry）结构	调整
公司的管理层	管理方法	讨论

2 别说 你这个老总了， 就连 我这个实习生 都 忙得很。

外国人了	中国人	不知道这个字怎么念（niàn, to read）
大学生了	三岁的小孩	知道答案
冬天了	秋天	很冷
你的话了	他父母的话	不听

3 以前她都是 向 部门总监 汇报 工作。

我们要	跨国公司	学习	先进的管理方法
买方	卖方	提出	索赔
他	小王	借了	一本书
面试者	李经理	介绍了	自己的工作经历

4 他们公司 会 对 新员工 进行 培训。

今天我们	计划	这个问题	讨论
明天双方	将	付款方式	谈判
公司	将	新的市场部	重组
我们	要	公司的部门	调整

5 你 既然 对这个公司这么满意， （你） 就 留在这个公司工作吧。

他	那么有能力	你	提升他当部门经理吧
你	已经知道了	我	不用再说了
你	这么喜欢这本书	我	送给你
你	以前做过	这个工作	由你来做吧

6 等 明明研究生毕业 的时候， 就可以把她招进来了。

你想合作	再和我们公司联系吧
你结婚	一定要告诉我
放假	我想去欧洲旅行
过春节	我一定回去看父母

八 用下面的词语组成句子。
Make sentences with the following words and expressions.

课文一

1 实行 我们 事业部制度 了 公司

2 的 产品 每种 自己 都 研发部 独立 有

3 他们 要 集团 重组 结构 后 优化 组织

4 改革 公司 在 搞 也 扁平化

5 工作 应该 效率 以前 比 高多了 吧

6 机会 发展 多了不少 她的 重 但是 了 责任 更

7 她 你 跟你说 一见到 有多忙 工作 她的 就会

8 比较　女人　你们　还是　女人　了解

课文二

1 想做的　不是　工作　吗　一直　这　你

2 公司　很多　员工　常　训练　组织　参加　拓展

3 我们　团队　的　意识　部门　合作　很强

4 的　讲求　这类　要　管理　商人　人性化　是

5 对　老板　常　做生意　我们　讲诚信　要　说

6 公司　机会　给员工　的　发展　提供　多不多

7 我的　充分　能力　发挥　了　得到

8 公司　只要　继续　愿意　用我　会　我　留下来　就

9 你　这样　呢　要是　女朋友　吃醋　的话　会不会

九 选词填空。
Choose the proper words to fill in the blanks.

1. 调整　提升　并购　恭喜　羡慕

1 我们公司刚被一家法国公司（　　）了。

2 听说你当副总了，（　　）你！

3 从下个月开始，我们公司将进行组织结构的（　　）。

4 我真（　　）你，一年中有三个月的假期。

5 我们公司喜欢从内部(nèibù, inside)(　　)有能力的人。

2. 汇报　减少　取消　捐助　发挥

1 我应该向人力资源部经理(　　)工作。

2 那位企业家(qǐyèjiā, entrepreneur)给那所小学(　　)了100万元。

3 由于天气的原因，今天下午飞往上海的航班(hángbān, flight)(　　)了。

4 在这个公司工作的员工可以充分(　　)自己的能力。

5 他们的产品改为直销(zhíxiāo, to sell directly)以后，(　　)了很多中间(zhōngjiān, middle)环节。

十 完成对话。
Complete the dialogues.

1 A：最近怎么这么忙？
B：____________________。（进行）

2 A：你们公司的市场部也负责策划营销工作吗？
B：不，____________________。（独立）

3 A：这次考试真难！
B：____________________。
（别说……，连……都……）

4 A：____________________？（到底）
B：我很想去，可是我还有很多工作要做。

5 A：你去过哪些城市？
B：____________________。（像）

6 A：昨天你去商场买了什么？
B：____________________。（什么的）

7 A：____________________。（等……的时候）
B：没问题，到时候一定通知你。

十一 阅读理解。
Reading comprehension.

现代社会，互联网发达，消费者需求变化快，企业竞争激烈，要想使企业做大、做强，必须具备两点：一是选择适合自己企业发展的组织结构；二是选择适合自己企业发展的用人制度。这两点一个都不能少。

过去的组织结构是“金字塔”型的，最高层的管理人员在金字塔的最上面，其他的管理人员从高到低一层一层排下来，直接面对客户的员工在金字塔的最下面。这种传统组织结构的最大不足就是员工从客户那里得到的信息不能及时反馈给最高层的决策者，最高层的决策也不能很快得到实施。现在我们必须把它倒过来，变成“倒金字塔”型的结构。直接面对客户的员工在最上面，最高领导在“倒金字塔”的最下面。过去的领导从上到下发布指令，现在的领导是自下而上提供支持。直接面对顾客的一线经理最了解客户的需求，我们管理人员就支持他们用最快的速度、在最短的时间内满足客户的需求，这种组织结构大大提高了工作效率。

这种组织结构要求企业有很好的用人制度，一是要在招聘的时候选择优秀的人才，二是要留住优秀的人才。我们公司的招聘制度非常严格，经过多次考核，我们挑选出那些学习能力强的员工。因为我们认为课堂学习只能提供30%的帮助，还有70%来自工作、同事以及日常的经验。如果选错了人，即使我们花了大量的时间和精力去培训，也不一定会有好的效果。我们招聘到具有核心能力的人才之后，会对他们进行培训，对他们的职业进行规划，让他们看到自己将来的目标。我们喜欢从企业内部提升有能力的人，每一个普通的员工通过企业的培训，都有机会成为高级管理人员。我们公司80%的高级管理人员都是从企业内部提升上来的。我们坚持从内部培养和提升的理念。我们给员工提供的发展机会很多，在这里，员工都能充分发挥他们的能力。

（改编自某公司总裁的采访

Based on an interview with the president of a company）

生词 Shēngcí New Words

1. 激烈	jīliè	Adj	intense
2. 用人	yòng rén	V//O	to employ
3. 过去	guòqù	N	past
4. 金字塔	jīnzìtǎ	N	pyramid
5. 反馈	fǎnkuì	V	to respond
6. 决策者	juécèzhě	N	decision maker
7. 实施	shíshī	V	to carry out, to implement
8. 倒	dào	V	to be upside down
9. 上面	shàngmiàn	N	top
10. 从上到下	cóng shàng dào xià		from top to bottom
11. 指令	zhǐlìng	N	instruction
12. 自下而上	zì xià ér shàng		from bottom to top
13. 一线	yīxiàn	N	front-line
14. 满足	mǎnzú	V	to satisfy
15. 大大	dàdà	Adv	greatly
16. 优秀	yōuxiù	Adj	excellent
17. 严格	yángé	Adj	strict
18. 考核	kǎohé	V	to examine
19. 课堂	kètáng	N	classroom
20. 日常	rìcháng	Adj	daily
21. 精力	jīnglì	N	energy, vigour
22. 核心	héxīn	N	core, kernel
23. 职业	zhíyè	N	profession
24. 将来	jiānglái	N	future

回答问题：
Answer the questions:

1. 这位总裁认为，企业要做大做强必须具备哪两点？
2. 过去的组织结构是什么样的？有什么不足？
3. 现在的组织结构是什么样的？有什么优点？
4. 这家企业在招聘的时候觉得员工的什么方面最重要？为什么？
5. 这家企业用什么方法留住优秀的员工？
6. 这家企业大多数的管理人员是从内部提升的还是从外面招聘的？
7. 在这家企业工作的员工，发展机会多不多？他们的能力能不能得到很好的发挥？

 完成任务。
Complete the tasks.

1．调查并报告：Survey and report:

(1) 没有工作过的同学请在网上调查一家知名公司的组织结构，然后在课堂上向老师和同学报告。
If you don't have work experience, please make an online survey of the organization structure of a renowned company, then report to your teacher and classmates.

(2) 工作过的同学请在课堂上向老师和同学报告你们公司的组织结构情况。
If you have worked before, please report the organization structure of the company you worked for to your teacher and classmates.

2．调查：Survey:

请向你身边工作过的同学或朋友了解他们工作过的公司的管理理念、福利制度、培训制度等情况，然后在课堂上向老师和同学报告。
Please ask your classmates or friends about the management concept, benefit system and training system of the company they worked for. Then report to your teacher and classmates.

第九单元
UNIT 

企业文化
Corporate culture

课文 Text	题目 Title	注释 Notes
一	这些跨国公司同时兼顾了全球化和本土化 These multinational companies are both globalized and localized	1. 后缀"化" The suffix "化" 2. 名词解释:"本土化" Explanation of the noun "本土化" 3. 介词"当" The preposition "当" 4. 动词"达" The verb "达" 5. 连词"总之" The conjunction "总之" 6. 趋向动词"起" The directional verb "起" 7. 插入语"对了"(复习) The parenthesis "对了" (Review)
二	企业文化关系到企业的生存和发展 Corporate culture bears upon the survival and development of an enterprise	1. "之一" 2. 动词"关系" The verb "关系" 3. 习惯用语"炒鱿鱼" The idiom "炒鱿鱼" 4. "君子爱财，取之有道" 5. "人无信不立" 6. 名词解释:"儒家思想" Explanation of the noun "儒家思想" 7. 名词解释:"国学" Explanation of the noun "国学" 8. 名词解释:《孙子兵法》 Explanation of the noun《孙子兵法》 9. "商场如战场"

课文一 Text 1

Zhèxiē Kuàguó-gōngsī Tóngshí Jiāngùle Quánqiúhuà hé Běntǔhuà

这些跨国公司同时兼顾了全球化和本土化

These multinational companies are both globalized and localized

张远、李明明、康爱丽、卡尔在肯德基一边吃早餐一边聊天儿。

● 李明明：肯德基的早餐越来越中国化了。

○ 张　远：有粥和油条，比较符合我们中国人的饮食习惯。

● 卡　尔：看来，像肯德基这样的大公司在中国的成功得益于本土化的经营。

○ 康爱丽：没错儿，这些跨国公司的经营管理同时兼顾了全球化和本土化。

● 卡　尔：当地域差别影响到企业的竞争力时，本土化就显得特别重要了。

○ 康爱丽：如果不了解当地的营销模式，就很难打开市场。

● 李明明：是啊，产品要适合当地消费者的品位和喜好。

○ 卡　尔：这次我们公司的广告投放就委托了一家中资公司，他们更了解中国人的消费心理。

● 张　远：宝洁公司就非常重视品牌在当地的广告定位和宣传。

○ 李明明：他们还和当地政府、新闻媒体都保持着良好的关系。

● 张　远：而且宝洁员工的本土化比例高达 99%。

○ 卡　尔：在电脑行业，索尼公司的本土化做得不错。

● 李明明：听说索尼在上海成立了"创造中心"。

○ 张　远：他们要根据中国人的消费习惯，设计符合中国人需求的产品。

● 卡　尔：总之，跨国公司在全球化的同时，还要结合各地的本土文化调整经营策略。

○ 张　远：是啊，中秋节快到了，星巴克也卖起了月饼。

● 康爱丽：对了，我家附近开了一家咖啡馆，味道不错。

○ 卡　尔：是吗？你们晚上有空儿吗？咱们去尝尝吧。

● 康爱丽：没问题！

○ 张　远、李明明：好！

※・※

Zhāng Yuǎn、Lǐ Míngming、Kāng Àilì、Kǎ'ěr zài Kěndéjī yìbiān chī zǎocān yìbiān liáotiānr.

● Lǐ Míngming: Kěndéjī de zǎocān yuè lái yuè Zhōngguóhuà le.

○ Zhāng Yuǎn: Yǒu zhōu hé yóutiáo, bǐjiào fúhé wǒmen Zhōngguó rén de yǐnshí xíguàn.

● Kǎ'ěr: Kànlái, xiàng Kěndéjī zhèyàng de dà gōngsī zài Zhōngguó de chénggōng déyì yú běntǔhuà de jīngyíng.

○ Kāng Àilì: Méi cuòr, zhèxiē kuàguó-gōngsī de jīngyíng guǎnlǐ tóngshí jiāngùle quánqiúhuà hé běntǔhuà.

- Kǎ'ěr: Dāng dìyù chābié yǐngxiǎng dào qǐyè de jìngzhēnglì shí, běntǔhuà jiù xiǎnde tèbié zhòngyào le.
- Kāng Àilì: Rúguǒ bù liǎojiě dāngdì de yíngxiāo móshì, jiù hěn nán dǎkāi shìchǎng.
- Lǐ Míngming: Shì a, chǎnpǐn yào shìhé dāngdì xiāofèizhě de pǐnwèi hé xǐhào.
- Kǎ'ěr: Zhè cì wǒmen gōngsī de guǎnggào tóufàng jiù wěituōle yì jiā zhōngzī gōngsī, tāmen gèng liǎojiě Zhōngguó rén de xiāofèi xīnlǐ.
- Zhāng Yuǎn: Bǎojié Gōngsī jiù fēicháng zhòngshì pǐnpái zài dāngdì de guǎnggào dìngwèi hé xuānchuán.
- Lǐ Míngming: Tāmen hái hé dāngdì zhèngfǔ、xīnwén méitǐ dōu bǎochízhe liánghǎo de guānxi.
- Zhāng Yuǎn: Érqiě Bǎojié yuángōng de běntǔhuà bǐlì gāodá bǎi fēnzhī jiǔshíjiǔ.
- Kǎ'ěr: Zài diànnǎo hángyè, Suǒní Gōngsī de běntǔhuà zuò de búcuò.
- Lǐ Míngming: Tīngshuō Suǒní zài Shànghǎi chénglìle "chuàngzào zhōngxīn".
- Zhāng Yuǎn: Tāmen yào gēnjù Zhōngguó rén de xiāofèi xíguàn, shèjì fúhé Zhōngguó rén xūqiú de chǎnpǐn.
- Kǎ'ěr: Zǒngzhī, kuàguó-gōngsī zài quánqiúhuà de tóngshí, hái yào jiéhé gè dì de běntǔ wénhuà tiáozhěng jīngyíng cèlüè.
- Zhāng Yuǎn: Shì a, Zhōngqiū Jié kuài dào le, Xīngbākè yě màiqǐle yuèbing.
- Kāng Àilì: Duì le, wǒ jiā fùjìn kāile yì jiā kāfēiguǎn, wèidào búcuò.
- Kǎ'ěr: Shì ma? Nǐmen wǎnshang yǒu kòngr ma? Zánmen qù chángchang ba.
- Kāng Àilì: Méi wèntí!
- Zhāng Yuǎn、Lǐ Míngming: Hǎo!

※·※

Zhang Yuan, Li Mingming, Alice Clement and Karl are chatting with each other while having breakfast at KFC.

- Li Mingming: The KFC breakfast is getting more and more sinicized.

○ Zhang Yuan: They provide porridge and deep-fried dough sticks, which cater to Chinese people's eating habits.

● Karl: It seems that big companies like KFC owe their success to the strategy of localization.

○ Alice: Exactly. These multinational companies are both globalized and localized in their business management.

● Karl: Localization becomes especially important when regional differences affect the competitiveness of a company.

○ Alice: If you don't know the local marketing mode, it will be very hard for you to open up the local market.

● Li Mingming: Right, your products must cater to the taste and preference of local consumers.

○ Karl: This time the company I work for entrusted a Chinese advertising company, who knows better the Chinese consumers' psychology.

● Zhang Yuan: P&G attaches great importance to the advertising and publicity of its brand among local consumers.

○ Li Mingming: And they keep very good relationships with local governments and news media.

● Zhang Yuan: And the local personnel of P&G account for 99% of its total.

○ Karl: In the computer industry, Sony has done a good job in its localization.

● Li Mingming: I'm told Sony has set up a "Creative Center" in Shanghai.

○ Zhang Yuan: They want to design products according to the Chinese consumers' habits and needs.

● Karl: In a word, multinational companies need to adjust their management strategies according to the local culture in their endeavour of globalization.

○ Zhang Yuan: Exactly. With the coming of the Mid-Autumn Festival, moon cakes are sold in Starbucks.

● Alice: By the way, a new cafe has just opened in my neighborhood. The coffee served tastes good.

○ Karl: Really? Are you free tonight? Let's go for it.

● Alice: No problem!

○ Zhang Yuang, Li Mingming: Great!

生词 Shēngcí New Words

1. 跨国公司	kuàguó-gōngsī		multinational company
2. 同时	tóngshí	Conj	at the same time
3. 兼顾	jiāngù	V	to take account of two or more things
4. 全球化	quánqiúhuà	V	to globalize
5. 本土化	běntǔhuà	V	to localize
本土	běntǔ	N	native land
6. 早餐	zǎocān	N	breakfast
7. 粥	zhōu	N	porridge
8. 油条	yóutiáo	N	deep-fried dough stick
9. 饮食	yǐnshí	N	diet
10. 习惯	xíguàn	N	habit
11. 得益	déyì	V	to benefit from
12. 经营	jīngyíng	V	to run, to manage, to operate
13. 地域	dìyù	N	region, area
14. 差别	chābié	N	difference
15. 竞争力	jìngzhēnglì	N	competitiveness
16. 显得	xiǎnde	V	to look like
17. 当地	dāngdì	N	local
18. 模式	móshì	N	mode, pattern
19. 打开	dǎkāi	V	to open up
20. 消费者	xiāofèizhě	N	consumer
21. 品位	pǐnwèi	N	taste
22. 喜好	xǐhào	V	to like
23. 投放	tóufàng	V	to put (goods) on the market
24. 委托	wěituō	V	to entrust

25. 中资	zhōngzī	N	Chinese fund
26. 心理	xīnlǐ	N	psychology
27. 重视	zhòngshì	V	to attach importance to
28. 定位	dìng wèi	V//O	to position
29. 媒体	méitǐ	N	media
30. 达	dá	V	to reach
31. 行业	hángyè	N	industry
32. 成立	chénglì	V	to establish, to set up
33. 创造	chuàngzào	V	to create
34. 中心	zhōngxī	N	center
35. 需求	xūqiú	N	need
36. 结合	jiéhé	V	to combine, to integrate
37. 月饼	yuèbing	N	moon cake
38. 味道	wèidao	N	flavor, taste

专有名词 Zhuānyǒu Míngcí **Proper Nouns**

1. 肯德基	Kěndéjī	KFC, a chain restaurant serving fast food
2. 宝洁	Bǎojié	P&G, a multinational corporation that features a wide range of consumer goods
3. 索尼	Suǒní	Sony, a Japanese multinational conglomerate corporatoin
4. 星巴克	Xīngbākè	Starbucks, the largest coffeehouse company in the world

注释 Zhùshì Notes

1 肯德基的早餐越来越中国化了。The KFC breakfast is getting more and more sinicized.

“化”，后缀，加在名词或形容词后面构成动词，表示转变成具有某种性质或状态。例如：

“化” is a suffix preceded by a noun or an adjective to form a verb, indicating to have certain characteristics or nature after the change. For example,

名词+化（Noun+化）：全球化、国际化、信息化、产业化、市场化、大众化、个性化、情绪化、汉化

形容词+化（Adjective+化）：绿化、美化、恶化、丑化

这种形式只有少数能带宾语，如“美化、绿化、丑化”等。例如：

Only a few words can be followed by an object in this structure, for example, “美化”, “绿化”, “丑化”, etc. For example,

① 最近爷爷的病情恶化（èhuà, to worsen）了。

② 他是一个情绪化（qíngxùhuà, to be moody）的人，不适合做这份工作。

③ 让我们一起来绿化（lǜhuà, to afforest）我们的城市。

2 看来，像肯德基这样的大公司在中国的成功得益于本土化的经营。
It seems that big companies like KFC owe their success to the strategy of localization.

“本土化”，又说“本地化”。在经济领域，指跨国公司为了适应所在国家独特的文化和风俗习惯，把生产、管理、营销、人事等融入当地的经济过程。他们为了实现最大程度的赢利，积极适应所在国家或地区的环境和市场，调整或改变原有的经营方法和策略，经营活动充分考虑当地市场的情况和消费者的心理及习惯。例如：

“本土化” is also known as “本地化”. In economic field, it refers to multinational companies merge their production, management, marketing and human resources into the local economy to adjust to the unique culture, customs and habits of the country they are located. To maximize their returns, they actively adapt to the environment and market of the country, adjust or change their original business operations and strategies and fully take the local markets and the consumers’ psychology and habits into account.

① 对一个跨国公司来说，人才的本土化很重要。

② 新产品营销本土化可以帮助企业打开市场。

3 当地域差别影响到企业的竞争力时，本土化就显得特别重要了。
Localization becomes especially important when regional differences affect the competitiveness of a company.

“当”，介词，表示事情发生的时间，后边有“时”或是“的时候”配合。“当……时”、“当……的时候”常用在句首。例如：

“当” is a preposition indicating the time when something happens. It is followed by “时” or “的时候”. “当……时” or “当……的时候” is often used at the beginning of a sentence. For example,

① 当你想家的时候，就听听这首歌吧。
② 当你们去华美服装厂参观时，一定要去看看他们最新的生产线。
③ 正当我们要开会时，张总经理突然（tūrán, suddenly）走了。

4 而且宝洁员工的本土化比例高达99%。
And the local personnel of P&G account for 99% of its total.

“达”，动词，表示“达到”的意思。可以带名词宾语，不能带“了、着、过”，不能重叠。“达”带数量词语作宾语时，常用在“高、深、长、宽、多、重、厚”等单音节形容词后作结果补语，起强调的作用。例如：

“达” is a verb, meaning “to reach”. It can be followed by a noun as its object, but it cannot be followed by “了”, “着” or “过” or be reduplicated. When “达” is followed by a quantifier as its object, it is usually used as a complement of result for emphasis and followed by a monosyllabic word like “高”, “深”, “长”, “宽”, “多”, “重” or “厚”, etc. For example,

① 他来中国达十年之久。
② 这批货重达3吨（dūn, ton）。
③ 他们厂产品展示室的样品多达500件。
④ 这座楼高达100米。

5 总之，跨国公司在全球化的同时，还要结合各地的本土文化调整经营策略。
In a word, multinational companies need to adjust their management strategies according to the local culture in their endeavour of globalization.

“总之”，连词，“总的来说”的意思，总括上文，表示下文是总括性的话。可以放在句首，有停顿。也可以说“总而言之”。例如：

“总之” is a conjunction meaning “in a word”. It summarizes what has been stated previously, indicating the summary is to be followed. It can be used at the beginning of a sentence with a pause and is equivalent to “总而言之”. For example,

① 海滩（hǎitān, beach）上的石头有大的，有小的，有方的，有圆的，总之，

各种形状都有。

② 有人爱吃甜的，有人爱吃辣的，有人爱吃咸的，总之，每个人的口味都不同。

③ 总之，所有喜欢跳舞的同学都可以来参加今晚的舞会(wǔhuì, dancing party)。

④ 他刚刚被公司开除 (kāichú, to fire)，家里又出了事，女朋友也离开了，总而言之，他最近很倒霉 (dǎoméi, to be unlucky)。

6 星巴克也卖起了月饼。Moon cakes are sold in Starbucks.

"起"，趋向动词，这里用在动词后，表示事物跟随着动作出现并持续，或是动作的开始。例如：

"起", a directional verb, is used after a verb to indicate something happens and continues along with an action or the beginning of an action. For example,

① 不知什么时候开始下起了雪。

② 他们喝茶时聊起了以前在法国公司实习的情况。

③ 看到卡尔最近的工作表现，李经理怀疑（ huáiyí, to doubt ）起了他的能力。

7 对了，我家附近开了一家咖啡馆。
By the way, a new cafe has just opened in my neighborhood.

"对了"，插入语，表示忽然想起应该做或应该补充说明的事情。常用在口语中。例如：

"对了", a parenthesis, indicates one suddenly remembers something he should do or further explain. It is often used in spoken Chinese. For example,

①A：我今天的面试很成功。
B：恭喜你！对了，这个周末你有安排吗？

②A：你的新工作怎么样？顺利吗？
B：不错，我已经适应（ shìyìng, to adapt to ）了。对了，听说你搬家（ bān jiā, to move ）了？

③ 对了，老师请假了，明天你们不用来上课了。

课文二 Text 2

Qǐyè Wénhuà Guānxi Dào Qǐyè de Shēngcún hé Fāzhǎn
企业文化关系到企业的生存和发展
Corporate culture bears upon the survival and development of an enterprise

张远、李明明、康爱丽、卡尔在一家咖啡店聊天儿，店里的电视上正在播新闻。

● 李明明：看，希望集团打算再捐助一所希望小学。

○ 张　远：越来越多的中国企业家、富豪开始关注公益事业。

● 卡　尔：树立企业形象，这也是企业文化的一个方面。

○ 康爱丽：希望集团是个民营企业吧？听说总裁是白手起家。

● 张　远：是个家族企业，中国企业500强之一，已经上市了。

○ 康爱丽：家族企业有很多优势，比如凝聚力强。

● 张　远：但是有的企业在用人上会“任人唯亲”。

○ 李明明：这就是这种企业的劣势了。

● 张　远：可是企业是要靠人才和文化取胜的。

○ 卡　尔：是啊，企业文化关系到企业的生存和发展。

● 张　远：爱丽，说说欧洲的企业文化吧。

○ 康爱丽：欧洲啊？欧洲这么多国家，不同国家的企业文化都有差别。

● 张　远：那就说说法国和德国有什么不同吧。

○ 康爱丽：法国公司民族意识比较浓，优越感很强，企业有时候会有点儿保守。

● 卡　尔：德国企业组织纪律性强。加班的话，员工可以当面跟老板谈条件。

○ 李明明：是吗？在我们公司，很有可能就被炒鱿鱼了。

● 康爱丽：明明、张远，你们说说亚洲的吧。

○ 李明明：韩国企业的员工很多是工作狂。他们个人进取心强，对企业忠诚度高。

● 张　远：日本的企业文化以团队精神为特点。他们重视人际关系，反对个人主义，强调合作。

○ 康爱丽：还是说说你们中国的“儒商文化”吧。

● 卡　尔：“儒商”我知道，“君子爱财，取之有道”。

○ 康爱丽：我也知道“人无信不立”。可什么是儒商呢？

● 张　远：我觉得儒商是以儒家思想为指导，非常重视商业道德的商人。

○ 李明明：不只是儒家思想，现在中国有很多企业家都在学国学。

● 张　远：是啊，他们把中国的传统智慧运用到企业管理中了。

○ 卡　尔：听说《孙子兵法》就很有用。

● 李明明：商场如战场嘛！

※·※

Zhāng Yuǎn、Lǐ Míngming、Kāng Àilì、Kǎ'ěr zài yì jiā kāfēidiàn liáotiānr, diàn li de diànshì shang zhèngzài bō xīnwén.

● Lǐ Míngming: Kàn, Xīwàng Jítuán dǎsuàn zài juānzhù yì suǒ Xīwàng Xiǎoxué.

○ Zhāng Yuǎn: Yuè lái yuè duō de Zhōngguó qǐyèjiā、fùháo kāishǐ guānzhù gōngyì shìyè.

● Kǎ'ěr: Shùlì qǐyè xíngxiàng, zhè yě shì qǐyè wénhuà de yí ge fāngmiàn.

○ Kāng Àilì: Xīwàng Jítuán shì ge mínyíng qǐyè ba? Tīngshuō zǒngcái shì bái shǒu qǐ jiā.

● Zhāng Yuǎn: Shì ge jiāzú qǐyè, Zhōngguó qǐyè wǔbǎi qiáng zhī yī, yǐjīng shàngshì le.

○ Kāng Àilì: Jiāzú qǐyè yǒu hěn duō yōushì, bǐrú níngjùlì qiáng.

● Zhāng Yuǎn: Dànshì yǒude qǐyè zài yòngrén shang huì "rèn rén wéi qīn".

○ Lǐ Míngming: Zhè jiù shì zhè zhǒng qǐyè de lièshì le.

● Zhāng Yuǎn: Kěshì qǐyè shì yào kào réncái hé wénhuà qǔshèng de.

○ Kǎ'ěr: Shì a, qǐyè wénhuà guānxi dào qǐyè de shēngcún hé fāzhǎn.

● Zhāng Yuǎn: Àilì, shuōshuo Ōuzhōu de qǐyè wénhuà ba.

○ Kāng Àilì: Ōuzhōu a? Ōuzhōu zhème duō guójiā, bù tóng guójiā de qǐyè wénhuà dōu yǒu chābié.

● Zhāng Yuǎn: Nà jiù shuōshuo Fǎguó hé Déguó yǒu shénme bù tóng ba.

○ Kāng Àilì: Fǎguó gōngsī mínzú yìshi bǐjiào nóng, yōuyuègǎn hěn qiáng, qǐyè yǒushíhou huì yǒudiǎnr bǎoshǒu.

● Kǎ'ěr: Déguó qǐyè zǔzhī jìlǜxìng qiáng. Jiābān de huà, yuángōng kěyǐ dāngmiàn gēn lǎobǎn tán tiáojiàn.

○ Lǐ Míngming: Shì ma? Zài wǒmen gōngsī, hěn yǒu kěnéng jiù bèi chǎo yóuyú le.

● Kāng Àilì: Míngming、Zhāng Yuǎn, nǐmen shuōshuo Yàzhōu de ba.

○ Lǐ Míngming: Hánguó qǐyè de yuángōng hěn duō shì gōngzuòkuáng, tāmen gèrén jìnqǔxīn qiáng, duì qǐyè zhōngchéngdù gāo.

● Zhāng Yuǎn: Rìběn de qǐyè wénhuà yǐ tuánduì jīngshén wéi tèdiǎn. Tāmen zhòngshì rénjì guānxi, fǎnduì gèrén zhǔyì, qiángdiào hézuò.

○ Kāng Àilì: Háishi shuōshuo nǐmen Zhōngguó de "rúshāng wénhuà" ba.

- ● Kǎ'ěr: "Rúshāng" wǒ zhīdao, "jūnzǐ ài cái, qǔ zhī yǒu dào".
- ○ Kāng Àilì: Wǒ yě zhīdao "rén wú xìn bú lì". Kě shénme shì rúshāng ne?
- ● Zhāng Yuǎn: Wǒ juéde rúshāng shì yǐ rújiā sīxiǎng wéi zhǐdǎo, fēicháng zhòngshì shāngyè dàodé de shāngrén.
- ○ Lǐ Míngming: Bù zhǐshì rújiā sīxiǎng, xiànzài Zhōngguó yǒu hěn duō qǐyèjiā dōu zài xué guóxué.
- ● Zhāng Yuǎn: Shì a, tāmen bǎ Zhōngguó de chuántǒng zhìhuì yùnyòng dào qǐyè guǎnlǐ zhōng le.
- ○ Kǎ'ěr: Tīngshuō 《Sūnzǐ Bīngfǎ》 jiù hěn yǒuyòng.
- ● Lǐ Míngming: Shāngchǎng rú zhànchǎng ma!

※·※

Zhang Yuan, Li Mingming, Alice Clement and Karl are chatting in a cafe and watching news on TV.

- ● Li Mingming: Look, the Hope Group plans to sponsor another Hope Primary School.
- ○ Zhang Yuan: More and more Chinese entrepreneurs and rich and powerful people are beginning to pay attention to public welfare undertakings.
- ● Karl: It is part of corporate culture to build a good and healthy corporate image.
- ○ Alice: Is Hope Group a privately-owned company? I'm told that its president built up the company from nothing.
- ● Zhang Yuan: It is a family business, one of the Top 500 Chinese Enterprises, and is already listed on the stock market.
- ○ Alice: A family business has many advantages. For instance, they have strong cohesion.
- ● Zhang Yuan: But some family businesses appoint people according to the principles of cronyism.
- ○ Li Mingming: That is a disadvantage of such companies.
- ● Zhang Yuan: But an enterprise's prosperity is based on talents and culture.
- ○ Karl: Exactly, corporate culture bears upon the survival and development of an enterprise.

● Zhang Yuan: Alice, would you please tell us about corporate culture in Europe?

○ Alice: In Europe? There are so many countries in Europe, and the corporate cultures are not the same in different countries.

● Zhang Yuan: Then please tell us the differences between the corporate cultures of companies in France and those in Germany.

○ Alice: The French companies have a strong sense of national consciousness and superiority; therefore, they might be sort of conservative sometimes.

● Karl: Employees in German enterprises are well-disciplined. They may even discuss the terms of working overtime directly with their boss.

○ Li Mingming: Really? In our company you may be fired for doing that.

● Alice: Mingming, Zhang Yuan, please say something about Asian corporate cultures.

○ Li Mingming: Many Korean employees are workaholics, and they are very aggressive and loyal to the enterprise.

● Zhang Yuan: The Japanese corporate culture features in team spirit. They attach much importance to interpersonal relationship and cooperation, and they are against individualism.

○ Alice: Let's talk about the "culture of Confucian merchants" in China.

● Karl: I know about a Confucian merchant, "a virtuous man who loves money as much as anybody else, but gets his share in a righteous way".

○ Alice: I also know "if people have no faith in a person, there is no standing for this person". But what is a Confucian merchant like?

● Zhang Yuan: I feel a Confucian merchant is the one who is guided by Confucianism and attaches great importance to business ethics.

○ Li Mingming: Not only Confucianism. Now there are many Chinese entrepreneurs who are studying sinology.

● Zhang Yuan: Yes, they employ the traditional Chinese wisdom in their business management.

○ Karl: I was told *Master Sun's Art of War* is very useful for business.

● Li Mingming: The business world is just like a battlefield.

生词 Shēngcí New Words

1. 关系	guānxi	V	to relate to, to bear upon
2. 企业家	qǐyèjiā	N	entrepreneur
3. 富豪	fùháo	N	rich and powerful people
4. 关注	guānzhù	V	to pay close attention to
5. 事业	shìyè	N	undertaking, cause
6. 树立	shùlì	V	to set up, to build
7. 形象	xíngxiàng	N	image
8. 民营企业	mínyíng qǐyè		privately-owned company
9. 白手起家	bái shǒu qǐ jiā		to build up from nothing
10. 家族企业	jiāzú qǐyè		family business
11. 之一	zhī yī		one of
12. 上市	shàng shì	V//O	to become listed on the stock market
13. 凝聚力	níngjùlì	N	cohension
14. 用人	yòng rén	V//O	to choose a person for a job
15. 任人唯亲	rèn rén wéi qīn		to appoint people according to the principles of cronyism
16. 劣势	lièshì	N	disadvantage
17. 取胜	qǔshèng	V	to win
18. 民族	mínzú	N	ethnicity, ethnic group
19. 浓	nóng	Adj	heavy, strong
20. 优越感	yōuyuègǎn	N	sense of superiority
21. 保守	bǎoshǒu	Adj	conservative
22. 纪律性	jìlǜxìng	N	discipline
23. 加班	jiā bān	V//O	to work overtime

24. 当面	dāngmiàn	Adv	face to face, directly
25. 炒鱿鱼	chǎo yóuyú		to fire (sb.)
26. 工作狂	gōngzuòkuáng	N	workaholic
27. 进取心	jìnqǔxīn	N	aggressiveness
28. 忠诚度	zhōngchéngdù	N	the degree of loyalty
29. 人际关系	rénjì guānxi		interpersonal relationship
30. 反对	fǎnduì	V	to be against
31. 个人主义	gèrén zhǔyì		individualism
32. 强调	qiángdiào	V	to emphasize
33. 君子爱财，取之有道	jūnzǐ ài cái, qǔ zhī yǒu dào		a virtuous man loves money as much as anybody else, but he gets his share in a righteous way
34. 人无信不立	rén wú xìn bú lì		if people have no faith in a person, there is no standing for this person
35. 儒家	Rújiā	N	Confucian school
36. 思想	sīxiǎng	N	thought, ideology
37. 指导	zhǐdǎo	V	to guide, to instruct
38. 道德	dàodé	N	ethics
39. 国学	guóxué	N	sinology, studies of traditional Chinese culture
40. 传统	chuántǒng	Adj	traditional
41. 智慧	zhìhuì	N	wisdom
42. 运用	yùnyòng	V	to use
43. 有用	yǒuyòng	Adj	useful
44. 商场	shāngchǎng	N	business world
45. 战场	zhànchǎng	N	battlefield

专有名词 Zhuānyǒu Míngcí Proper Nouns

1. 希望集团	Xīwàng Jítuán	name of a company
2. 希望小学	Xīwàng Xiǎoxué	Hope Primary School
3. 亚洲	Yàzhōu	Asia
4. 韩国	Hánguó	the Republic of Korea
5. 日本	Rìběn	Japan
6. 《孙子兵法》	《Sūnzǐ Bīngfǎ》	*Master Sun's Art of War*

注释 Zhùshì Notes

1 是个家族企业，中国企业 500 强之一，已经上市了。

It is a family business, one of the Top 500 Chinese Enterprises, and is already listed on the stock market.

"……之一"，表示很多同类人或事物当中的一个。例如：

"……之一" indicates one of many similar people or things. For example,

① 卡尔是我们招标项目的负责人之一。

② 欧洲是世界上经济最发达（fādá, developed）的地区之一。

③ 市场需求调查是市场调查的内容之一。

2 企业文化关系到企业的生存和发展。

Corporate culture bears upon the survival and development of an enterprise.

"关系"，这里是动词，"关联、牵涉"的意思，用来说明某事对有关事物的重要性或直接影响。可以带名词、动词宾语，可以带补语，不能重叠。例如：

"关系" is a verb, meaning "to relate to" or "to bear upon". It is used to explain something is very important or influential to something else. It can be followed by a noun, a verb object, or a complement, but it cannot be reduplicated. For example,

① 改革是关系公司发展的大事。

② 这次会谈的成败（chéngbài, success or failure）直接关系到两国的外交（wàijiāo, diplomacy）关系。

③ 一周后的面试将关系到你是否有资格（zīgé, qualification）参加这次经理人培训班的学习。

④ 天气好不好关系到我们的这批货能不能按时到达天津港。

3 在我们公司，很有可能就被炒鱿鱼了。

In our company you may be fired for doing that.

"炒鱿鱼"，习惯用语，比喻被解雇。以前，被雇用的人都是自己带被褥的，被解雇时，就要卷起铺盖离开。由于人们对"解雇"和"开除"这类词语比较敏感，所以就用"卷铺盖"（juǎn pūgai, to pack one's belongings and quit）比喻被解雇。"炒鱿鱼"本来是广东的一道菜，后来人们发现，鱿鱼一炒就卷起来，外形很像铺盖，而且卷的过程也很相像，于是，就在"卷铺盖"之外又创造了"炒鱿鱼"这一新的表达，同样表示"被解雇"和"开除"的意思。现在，人们也常用"炒鱿鱼"表示自己主动辞职。例如：

"炒鱿鱼" is an idiom meaning "to be fired". In old days, all the employees take their own beddings and pack their belongings when they are fired. Since people are more sensitive to words like "解雇" and "开除", they metaphorically use "卷铺盖" for it. "炒鱿鱼" was originally a Cantonese dish. Later, people find that when sleeve-fish is stir-fried, it rolls up like a bedding. So is the process of its rolling up. A new expression "炒鱿鱼" is thus created in addition to "卷铺盖", meaning to be fired or laid off. Now, people also often use "炒鱿鱼" to indicate somebody quit the job himself. For example,

① 这是他第三次被老板炒鱿鱼。

② 没想到，他竟然（jìngrán, unexpectedly）炒了老板的鱿鱼。

③ 他工作表现不好，老板让他卷铺盖走人（zǒurén, to leave）。

4 "儒家"我知道，"君子爱财，取之有道"。

I know about a Confucian merchant, "a virtuous man who loves money as much as anybody else, but gets his share in a righteous way".

"君子爱财，取之有道"，出自中国古代儿童启蒙读物《增广贤文》。"君子"，指有才德、正直的人；"有道"，指合乎道义。这句话的意思是，君子喜欢从正道得到的财物，不要不义之财。在中国传统文化中，人们常用这句话表示：人们在追求财富的时候，应该合乎法律和道德的要求，不该为了钱财而做违反道义的事情。

"A virtuous man loves money as much as anybody else, but he gets his share in a righteous way" is based on the *Folk Philosophy*, a book for ancient Chinese children. "君子" refers to a morally upright person and "有道" refers to ways that follow moral codes. This sentence means that a gentleman likes gaining wealth in a honorable way. In traditional Chinese culture, people often use this sentence to indicate that people need to pursue wealth based on law and morality and shouldn't violate morality for money.

5 我也知道"人无信不立"。

I also know "if people have no faith in a person, there is no standing for this person".

"人无信不立"，源于《论语·颜渊》："自古皆有死，民无信不立"。意思是，人没有信用，在社会上就没有立身之地。在中国传统文化中，人们常用这句话表示：说话做事必须有信用，这样才能获得他人的信任，才能做成事情。在商业领域，诚信非常重要。

"If people have no faith in a person, there is no standing for this person" is based on a sentence from Yan Yuan in *Confucian Analects*, "Since ancient times there has always been death, but without trustworthiness people cannot stand". It means that there is no standing in the society for a man without trustworthiness. In traditional Chinese culture, people often use this sentence to indicate that people must keep his promise to gain others' trust to succeed. In business field, honesty is very important.

6 我觉得儒商是以儒家思想为指导，非常重视商业道德的商人。

I feel a Confucian merchant is the one who is guided by Confucianism and attaches great importance to business ethics.

"儒家思想"，指儒家学派的思想，是以"仁"为核心，提倡"和为贵"的思想体系，又称"儒学"。儒家学派是春秋末期由思想家孔子创立的。之后，孟子、荀子等人传承、发扬儒家学说，形成儒家思想。儒家思想是中国最为重要的思想之一，被封建统治者奉为正统思想。儒家思想还逐渐传播到中国的周边国家，影响深远。儒家思想体系中的"仁爱"、"德治"、"民本"等思想也被现代社会所提倡和发扬。

Confucianism refers to thought of the Confucian school, which focuses on "benevolence" and promotes "harmony is the best option". It is also known as Confucian doctrine, which was created by Confucius, a thinker at the end of the Spring and Autumn Period. After that, it was inherited and carried forward by Mencius and Hsun-Tzu and developed into a doctrine. Confucianism is one of the most important Chinese thoughts and regarded as the orthodox thought by rulers of the feudal society. It was also spread to countries around China and has a far-reaching impact. Ideas such as "benevolence", "rule of virtue" and "democracy" are also promoted in modern society.

7 现在中国有很多企业家都在学国学。

Now there are many Chinese entrepreneurs who are studying sinology.

"国学"，原来指国家学府，20世纪初时指"相对于西方学术的本国传统学术"。后来，特别是20世纪八九十年代以后，"国学"的意义更加宽泛，只要是传统文化似乎都可以叫做"国学"。这也是一般人心目中"国学"的含义。因此，从广义上说，中国传统的历史、思想、哲学、地理、政治、经济乃至书画、音乐、术数、医学、星相、建筑等都属于"国学"的范畴。

"国学" originally referred to the national institution of higher learning and was later used to refer to traditional Chinese learning in contrast to the Western learning in the begining of the 20th century. It later had a broader meaning. Especially since 1980s~1990s, it has such a broad meaning that it seems the traditional culture can all be taken as "国学". This definition is accepted by ordinary Chinese people. Therefore, in a broad sense, the scope of "国学" includes traditional Chinese history, thoughts, philosophy, geography, politics, economy, and even calligraphy, painting, music, mathematics, medicine, astrology and agriculture, etc.

8 听说《孙子兵法》就很有用。

I was told *Master Sun's Art of War* is very useful for business.

《孙子兵法》，中国最早的一部兵书，主要讲述军事战略和战术。《孙子兵法》既是中国古代最伟大的军事理论著作，也是中国优秀文化传统的重要组成部分，是中国在世界上影响最大、最为广泛的著作之一。后来，书中的谋略、哲学思想也被运用到企业经营管理中。

Master Sun's Art of War is one of the earliest books on the art of war, which mainly discusses the military strategies. It is not only the greatest book of military theories in ancient China, but also an important component of brilliant Chinese culture and tradition, and one of the most influential and widely-used Chinese works in the world. The strategic and philosophic ideas of the book are also used in the management of enterprises later.

9 商场如战场嘛！ The business world is just like a battlefield.

这句话一方面用来比喻商业竞争非常激烈，往往是你争我夺，你死我活，像战场上一样残酷无情；另一方面也指适用于战场中的战略战术同样也适用于市场竞争中。

On the one hand, the phrase is used to describe the intense competition in business, which is just like the life-and-death battle in a war; on the other hand, it indicates the strategies of war can be equally applicable in the market competition.

练习 Liànxí Exercises

一 跟读生词，注意发音和声调。
Read the new words after the teacher and pay attention to your pronunciation and tones.

二 跟读课文，注意语音语调。
Read the texts after the teacher and pay attention to your pronunciation and intonation.

三 学生分组，分角色朗读课文一、二。
Divide the students into groups and read Texts 1 & 2 in different roles.

四 学生分组，不看书，分角色表演课文一、二。
Divide the students into groups and play the roles in Texts 1 & 2 without referring to the book.

五 角色扮演。（提示：角色可以互换。）
Role playing. (Note: the roles can be exchanged.)

1. 两人一组，扮演两个打算在中国做生意的人，参照课文一，用肯德基、宝洁、索尼和星巴克的例子说说这些跨国公司的“本土化”是怎么做的，为什么要“本土化”。请使用课文中学习过的词语和句子。
   Students work in pairs acting as two people who want to do business in China. Use the examples of KFC, P&G, Sony and Starbucks to discuss how and why these multinational companies localized their business operations referring to Text 1. Please use the words, expressions and sentences you learned in the text.

2. 两人一组，扮演两个经理人，参照课文二，说说法国企业、德国企业、韩国企业、日本企业和中国企业的企业文化各有什么特点。请使用课文中学习过的词语和句子。
   Students work in pairs acting as two managers. Discuss the features of French, German, Korean, Japanese and Chinese corporate cultures referring to Text 2. Please use the words, expressions and sentences you learned in the text.

六 复述课文一和课文二。
Retell Texts 1 & 2.

七 替换练习。
Substitution drills.

1 粥和油条 比较符合 我们的饮食习惯。

每天洗澡	他的生活习惯
他的工作经验	招聘要求
月薪3000	他对工资的要求
这种经营策略	北京市场的营销模式

2 这些公司的成功 得益于 本土化的经营。

公司的快速发展	人才和诚信
他能在中国找到工作	汉语说得好
他的好成绩	好的学习方法
他的事业成功	家人（jiārén, family member）的支持

3 家族企业有很多优势， 比如 凝聚力强。

他有很多爱好	唱歌
他爱吃中国菜	宫保鸡丁（gōngbǎo jīdīng, spicy diced chicken with peanuts）
家族企业也有很多劣势	任人唯亲
我去过很多欧洲国家	法国、德国等

4 企业文化 关系到 企业的生存和发展。

这个选择	我将来的生活
工资的多少	你的生活质量
这次考试的成绩	我能不能去国外学习
对客户是不是了解	谈判能不能成功

5 日本企业文化 以 团队精神 为 特点。

他认为结了婚的女人应该	家庭（jiātíng, family）	重
老师	自己的经历	例
做生意要	和（hé, harmonious）	贵
有的中国企业	儒家思想	指导

6 他们 把 中国的传统智慧 运用到 企业管理中 了。

他们公司	新的模式	市场营销中
我们	这种设计	最需要的地方
我们	国学	经营管理中
她	多年的工作经验	这次谈判中

八 用下面的词语组成句子。
Make sentences with the following words and expressions.

课文一

1 越来越 了 的 早餐 中国化 肯德基

2 很难 营销模式 就 如果 市场 不了解 打开 当地的

3 适合 产品 要 当地 品位 喜好 消费者 的 和

4 公司 广告 我们 的 委托了 中资公司 一家 投放

5 中国人 他们 消费 更 了解 的 心理

6 当地政府 都 保持着 他们 和 良好的 新闻媒体 关系

7 在 了 上海 “创造中心” 索尼 成立 听说

8 文化　跨国公司　经营策略　要　各地的　本土　调整　结合

9 起　了　也　月饼　星巴克　卖

10 附近　我家　开　咖啡馆　一家　了

课文二

1 希望小学　希望集团　打算　所　再　捐助　一

2 企业家　多　和　公益事业　越来越　的　关注　中国　富豪　开始

3 的　企业　企业文化　形象　是　树立　一个方面

4 会　上　有的　在　企业　“任人唯亲”　用人　但是

5 员工　谈　条件　可以　当面　跟　老板

6 他　炒鱿鱼　很　可能　被　有

7 忠诚度　韩国企业　高　对　企业　员工　的　的

8 还是　吧　说说　儒商文化　中国　的

9 中国　现在　有　国学　很多　都在　学　企业家

九 根据课文内容，完成下面的句子。
Complete the following sentences based on the texts.

课文一

1 宝洁公司非常重视品牌________________。

2 宝洁员工的________________高达99%。

3 索尼公司要根据中国人的消费习惯，设计＿＿＿＿＿＿＿＿＿＿＿＿。

课文二

1 企业要靠＿＿＿＿＿＿和＿＿＿＿＿＿取胜。

2 欧洲这么多国家，不同的国家的＿＿＿＿＿＿＿＿＿＿＿＿也有差别。

3 韩国企业的员工＿＿＿＿＿＿，他们＿＿＿＿＿＿强，对＿＿＿＿＿＿高。

4 日本企业重视＿＿＿＿＿＿，反对＿＿＿＿＿＿，强调＿＿＿＿＿＿。

5 我觉得儒商是以＿＿＿＿＿＿为指导，非常重视＿＿＿＿＿＿的商人。

6 很多企业家把＿＿＿＿＿＿都运用到＿＿＿＿＿＿中了。

7 君子爱财，＿＿＿＿＿＿。

十 完成对话。
Complete the dialogues.

1 A：你觉得北京的天气怎么样？

B：我＿＿＿＿＿＿＿＿＿＿＿＿＿＿。（越来越）

2 A：今年公司的贸易额怎么样？

B：很好，＿＿＿＿＿＿＿＿＿＿＿＿＿＿。（高达）

3 A：为什么中国人谈生意时喜欢喝白酒（báijiǔ, alcohol）？

B：因为喝白酒＿＿＿＿＿＿＿＿＿＿＿＿＿＿。（符合）

4 A：你和客户的关系怎么样？

B：我和他们＿＿＿＿＿＿＿＿＿＿＿＿＿＿。（保持）

5 A：现在跨国公司都觉得中国市场很重要。

B：对，越来越多的＿＿＿＿＿＿＿＿＿＿＿＿＿＿。（重视）

6 A：康爱丽每天都很忙。

B：因为她要＿＿＿＿＿＿＿＿＿＿＿＿＿＿。（兼顾）

7 A：现在才10点，你怎么这么早就睡觉了？

B：过两天就要开学了，＿＿＿＿＿＿＿＿＿＿＿＿＿＿。（调整）

8 A：卡尔现在常常问中国人国学的问题。

B：他开始＿＿＿＿＿＿＿＿＿＿＿＿＿＿。（关注）

9 A：你喜欢迈克尔·杰克逊（Màikè' ěr Jiékèxùn, Michael Jackson）吗？

B：很喜欢，他是＿＿＿＿＿＿＿＿＿＿＿＿＿＿＿＿。（之一）

10 A：怎么才能谈判成功？

B：首先应该了解自己的谈判对手，＿＿＿＿＿＿＿＿＿＿＿＿。（比如说）

11 A：你能帮我把礼物给卡尔吗？

B：这样不好，＿＿＿＿＿＿＿＿＿＿＿＿。（当面）

12 A：你在日本住了很长时间，你觉得日本公司怎么样？

B：日本老板＿＿＿＿＿＿＿＿＿＿＿＿。（强调）

13 A：你为什么要和男朋友分手？

B：他＿＿＿＿＿＿＿＿＿＿＿＿。（工作狂）

14 A：你们为什么不想跟这家公司合作？

B：＿＿＿＿＿＿＿＿＿＿＿＿是＿＿＿＿＿＿＿＿＿＿＿＿。（劣势）

15 A：你听说过"人无信不立"吗？

B：当然，我知道，＿＿＿＿＿＿＿＿＿＿＿＿。（儒家思想）

十 阅读理解。
Reading comprehension.

（一）

从2008年开始，星巴克就开始加强在中国"本土化"的强度。比如，在广东销售8~15元的低价早餐系列，价格比单品还要便宜；采购也实行本土化，2009年1月，星巴克用云南咖啡豆制作的一款咖啡开始销售。虽然有了各种本土化尝试，但是星巴克在中国的价格还不够"本土"。比如，上海星巴克的咖啡、三明治等的价格仍然很贵，咖啡加三明治超过40元。总的来说，在全球各地的星巴克中，中国地区的星巴克表现良好。

生词 Shēngcí New Words

1. 强度	qiángdù	N	intensity
2. 系列	xìliè	N	series
3. 单品	dānpǐn	N	single item

4. 采购	cǎigòu	V	to purchase
5. 云南	Yúnnán	PN	a province located in the far southwest of China
6. 咖啡豆	kāfēidòu	N	coffee bean
7. 制作	zhìzuò	V	to make
8. 款	kuǎn	M	*a measure word*
9. 尝试	chángshì	V	to try
10. 三明治	sānmíngzhì	N	sandwich
11. 全球	quánqiú	N	around the world

回答问题：

Answer the questions:

1. 星巴克是从什么时候开始重视在中国加强本土化的？
2. 星巴克在哪些方面"本土化"了？
3. 中国人是否满意星巴克的价格？
4. 中国的星巴克销售情况怎么样？

（二）

中国企业的家庭化管理方式根源于中国的传统文化。中国传统的生意都是家族生意，很重视人与人之间的关系。企业员工经常可以感受到员工之间的爱和企业对员工的关心。一位员工说，他生病时，其他同事会给他送药，帮助他早点儿恢复健康。到了秋天，企业领导会与员工一起到果园摘苹果。员工过生日时，企业会买蛋糕祝他生日快乐。可是，研究企业文化的学者认为，中国企业亲密的员工关系不一定适合现在竞争激烈的市场经济。

生词 Shēngcí New Words

1. 根源	gēnyuán	V	to originate from
2. 感受	gǎnshòu	V	to feel
3. 恢复	huīfù	V	to recover
4. 果园	guǒyuán	N	orchard

5. 摘	zhāi	V	to pick
6. 快乐	kuàilè	Adj	happy
7. 亲密	qīnmì	Adj	close, intimate

回答问题：

Answer the questions:

1. 中国企业为什么会形成家庭化的管理方式？
2. 中国传统的家族企业重视什么？
3. 中国企业如何表现对员工的爱和关心？
4. 研究企业文化的学者觉得中国企业的家庭化管理方式怎么样？
5. 你对中国企业的家庭化管理方式有什么看法？

十一 完成任务。
Complete the tasks.

1. 讨论：Discuss:
   如果你工作过，请向同学们说说你工作过的一家公司的企业文化，可以介绍员工工作态度、办公室文化、公司管理等内容。
   If you have work experience, please discuss with your classmtes about the corporate culture, including the staff's working attitude, office culture and management of the company, etc.

2. 调查并报告：Survey and report:
   从下面的两个任务中选择一项进行调查，然后在课堂上汇报。可以选小组代表汇报，也可以用对话形式汇报。
   Make a survey choosing one of the following tasks and report to the class. It can be conducted as a group report or using dialogues.
   (1) 3~4 人一组，选一家有名的跨国公司，收集相关资料，总结分析他们在中国“本土化”经营的情况，分析他们在中国的经营管理有什么优势和劣势。
   Students work in groups of 3~4. Choose a renowned multinational company, collect the relevant data, summarize and analyze their localized operation in China. Analyze the advantages and disadvantages of their business management in China.

(2) 3~4 人一组，查找一家中国的家族企业，了解这家企业的企业文化，分析它的优势和劣势。
Students work in groups of 3~4. Select a Chinese family company, get to know the corporate culture of this company and analyze the advantages and disadvantages of its business management.

生词总表
Vocabulary

（最后一列表示生词所在单元和课号，如“32”表示第三单元课文二）

（The last column indicates the unit number and text number of the new word, for example, “32” indicates the new word is in Text 2, Unit 3.）

A					
1	唉	ài	Int	alas	42
2	安全	ānquán	Adj	safe	31
3	案例	ànlì	N	case	61
B					
4	把握	bǎwò	V	to seize	21
5	白手起家	bái shǒu qǐ jiā		to build up from nothing	92
6	败诉	bàisù	V	to lose a lawsuit	52
7	办公	bàn gōng	V//O	to work	63
8	包工	bāogōng	V	to undertake a job under a contract	12
9	包料	bāoliào	V	to provide material under a contract	12
10	包装	bāozhuāng	V / N	to pack; package	21
11	保持	bǎochí	V	to maintain, to keep	63
12	保存	bǎocún	V	to store	41
13	保兑	bǎoduì	Adj	confirmed	51
14	保守	bǎoshǒu	Adj	conservative	92
15	保险	bǎoxiǎn	N	insurance	31
16	报告	bàogào	N	report	31
17	备注	bèizhù	N	remark	51
18	背景	bèijǐng	N	background	63
19	背书	bèishū	N	endorsement	32

20	背心	bèixīn	N	vest	32
21	被告	bèigào	N	defendant	52
22	被告方	bèigàofāng	N	defendant	52
23	本	běn	Pr	this	51
24	本来	běnlái	Adv	originally, at first	81
25	本人	běnrén	Pr	I, myself	63
26	本土	běntǔ	N	native land	91
27	本土化	běntǔhuà	V	to localize	91
28	逼	bī	V	to force, to press	81
29	比如	bǐrú	V	to take... for example	21
30	笔	bǐ	M	*a measure word for business or fund*	12
31	必须	bìxū	Adv	must	31
32	毕竟	bìjìng	Adv	after all	12
33	毕业	bì yè	V//O	to graduate	21
34	避免	bìmiǎn	V	to avoid	31
35	编号	biānhào	N	No., serial No.	51
36	扁平化	biǎnpínghuà	V	to flatten (the organizational structure)	81
37	表达	biǎodá	V	to express	63
38	表明	biǎomíng	V	to indicate	41
39	表现	biǎoxiàn	V / N	to show, to perform; performance	72
40	别说	biéshuō	Conj	let alone	61
41	别提	biétí	V	not to mention	61
42	并	bìng	Conj	and	51
43	并购	bìnggòu	V	to merge and acquire	81
44	病急乱投医	bìng jí luàn tóu yī		to get into a panic and try everything when in a desperate situation	61
45	不便	búbiàn	Adj	inconvenient	41

46	不卑不亢	bù bēi bú kàng		neither humble nor haughty	21
47	不符	bùfú	V	not to conform to	42
48	不可	bùkě	V	cannot	31
49	不可撤销跟单信用证	bùkě chèxiāo gēndān xìnyòngzhèng		irrevocable documentary letter of credit	32
50	不可撤销即期信用证	bùkě chèxiāo jíqī xìnyòngzhèng		irrevocable L/C at sight	31
51	不可抗力	bùkěkànglì	N	force majeure	42
52	部分	bùfen	N	part	41
53	部门	bùmén	N	department	41
C					
54	裁	cái	V	to cut down, to reduce	81
55	采用	cǎiyòng	V	to adopt	31
56	参加	cānjiā	V	to attend	71
57	策划	cèhuà	V	to plan, to scheme	82
58	策略	cèlüè	N	strategy, tactic	63
59	层级	céngjí	N	subordinate administrative level	81
60	差别	chābié	N	difference	91
61	厂	chǎng	N	factory	11
62	厂长	chǎngzhǎng	N	factory director	11
63	炒鱿鱼	chǎo yóuyú		to fire (sb.)	92
64	撤销	chèxiāo	V	to revoke	31
65	成功	chénggōng	V / Adj	to succeed; successful	22
66	成交	chéng jiāo	V//O	to close a deal	51
67	成立	chénglì	V	to establish, to set up	91
68	成品	chéngpǐn	N	finished product	12
69	诚聘	chéngpìn	V	to recruit	62
70	诚信	chéngxìn	Adj	honest and trustworthy	63

71	程序	chéngxù	N	procedure	42
72	吃醋	chī cù	V//O	to be jealous	82
73	迟	chí	Adj	late, behind schedule	51
74	尺寸	chǐcùn	N	size, measurement	41
75	充分	chōngfèn	Adj	enough, sufficient	82
76	重组	chóngzǔ	V	to restructure, to reorganize	81
77	崇拜	chóngbài	V	to admire, to worship	82
78	出具	chūjù	V	to issue	51
79	出口国	chūkǒuguó	N	exporting country	42
80	出马	chū mǎ	V//O	to take up a matter	21
81	出售	chūshòu	V	to sell	52
82	除非	chúfēi	Prep	unless	52
83	除……外	chú……wài		except	52
84	处理	chǔlǐ	V	to handle, to dispose of	42
85	穿着	chuānzhuó	N	dress	61
86	传递	chuándì	V	to deliver	63
87	传统	chuántǒng	Adj	traditional	92
88	船只	chuánzhī	N	vessel	52
89	创新	chuàngxīn	V / N	to innovate; innovation	72
90	创造	chuàngzào	V	to create	91
91	词句	cíjù	N	words and sentences, expressions	51
92	此	cǐ	Pr	this	41
93	从事	cóngshì	V	to be engaged in	12
94	粗糙	cūcāo	Adj	coarse	41
D					
95	达	dá	V	to reach	91
96	达成	dáchéng	V	to reach	22
97	答复	dáfù	V	to reply	41

98	打官司	dǎ guānsi		to go to the court	42
99	打交道	dǎ jiāodao		to contact with	31
100	打开	dǎkāi	V	to open up	91
101	大街	dàjiē	N	avenue, street	32
102	代表	dàibiǎo	V	to represent, on behalf of	11
103	代码	dàimǎ	N	code	32
104	待遇	dàiyù	N	benefit, treatment	61
105	担任	dānrèn	V	to work as	71
106	担心	dān xīn	V//O	to worry	61
107	单价	dānjià	N	unit price	51
108	单据	dānjù	N	document	31
109	当地	dāngdì	N	local	91
110	当面	dāngmiàn	Adv	face to face, directly	92
111	到底	dàodǐ	Adv	on earth	81
112	到期	dào qī	V//O	to expire	51
113	道德	dàodé	N	ethics	92
114	得到	dédào	V	to get	21
115	得体	détǐ	Adj	decent	61
116	得益	déyì	V	to benefit from	91
117	抵	dǐ	V	to reach	51
118	底价	dǐjià	N	base price	21
119	地点	dìdiǎn	N	place	32
120	地区	dìqū	N	area, region	63
121	地域	dìyù	N	region, area	91
122	第三者	dìsānzhě	N	third party	42
123	电	diàn		cable	51
124	电报	diànbào	N	cable	52
125	电汇	diànhuì	V	telegraphic transfer (T/T)	31

126	订货	dìng huò	V//O	to order goods	22
127	定位	dìng wèi	V//O	to position	91
128	独立	dúlì	Adj	independent	81
129	对	duì	Prep	to	21
130	对比	duìbǐ	V	to compare	21
131	对方	duìfāng	N	the other party	21
132	兑付	duìfù	V	to cash	32
133	多媒体	duōméitǐ	N	multimedia	11
E					
134	而	ér	Conj	*used to connect cause and effect*	52
F					
135	发挥	fāhuī	V	to give play to	82
136	发生	fāshēng	V	to give rise to	52
137	发送	fāsòng	V	to send	62
138	发现	fāxiàn	V	to find	22
139	发言	fā yán	V//O	to make a speech	61
140	发运	fāyùn	V	to ship, to dispatch	32
141	发展	fāzhǎn	V	to develop	42
142	凡	fán	Adv	all, any	52
143	反对	fǎnduì	V	to be against	92
144	范围	fànwéi	N	scope, range	41
145	方	fāng	N	side, party	52
146	方面	fāngmiàn	N	aspect, in the area of	21
147	放映	fàngyìng	V	to show (a film, etc.)	11
148	费用	fèiyong	N	charge, cost, expense	42
149	分寸	fēncun	N	sense of propriety	21
150	分割	fēngē	V	to divide	52

151	分批	fēn pī	V O	to be in batches	32
152	分歧	fēnqí	N	difference	42
153	丰富	fēngfù	Adj	rich, plentiful	12
154	否则	fǒuzé	Conj	otherwise, or, or else	52
155	服务	fúwù	V	to serve	82
156	浮动	fúdòng	V	to fluctuate	41
157	符合	fúhé	V	to be in compliance with	41
158	付款交单	fù kuǎn jiāo dān		documents against payment (D/P)	31
159	付款人	fùkuǎnrén	N	drawee, payer	32
160	负责	fùzé	V	to be responsible for	12
161	附	fù	V	to attach	41
162	复验	fùyàn	V	to re-inspect, to check again	42
163	复杂	fùzá	Adj	complex	12
164	副	fù	Adj	(in job titles) deputy, vice	71
165	富豪	fùháo	N	rich and powerful people	92
G					
166	该	gāi	Pr	this, these	41
167	改革	gǎigé	V	to reform	81
168	感	gǎn	Suf	*a suffix*	82
169	感兴趣	gǎn xìngqù		to be interested in	71
170	刚	gāng	Adv	just	12
171	刚刚	gānggāng	Adv	just	41
172	刚好	gānghǎo	Adv	just, exactly	61
173	港	gǎng	N	harbor	22
174	高级	gāojí	Adj	high-end, advanced	12
175	搞	gǎo	V	to do, to carry on, to be engaged in	81
176	告吹	gàochuī	V	to cancel	22
177	个人	gèrén	N	personal	63

178	个人主义	gèrén zhǔyì		individualism	92
179	各种各样	gè zhǒng gè yàng		all kinds of	61
180	根据	gēnjù	V	to be based on	52
181	跟单	gēndān	N	documentary	32
182	跟单信用证	gēndān xìnyòngzhèng		documentary L/C	32
183	工艺	gōngyì	N	technique, technology, craft	12
184	工资	gōngzī	N	pay, salary	61
185	工作狂	gōngzuòkuáng	N	workaholic	92
186	公益	gōngyì	N	public welfare	82
187	攻击	gōngjī	V	to attack	61
188	恭喜	gōngxǐ	V	to congratulate	81
189	沟通	gōutōng	V	to communicate	71
190	挂号	guà hào	V//O	to register	52
191	怪不得	guàibude	Adv	no wonder	61
192	关键	guānjiàn	N	key	61
193	关系	guānxi	V	to relate to, to bear upon	92
194	关注	guānzhù	V	to pay close attention to	92
195	观点	guāndiǎn	N	point of view	61
196	官	guān	N	person appointed to a position	61
197	管理	guǎnlǐ	V	to manage	62
198	管理学	guǎnlǐxué	N	management	61
199	规定	guīdìng	V	to stipulate	41
200	规格	guīgé	N	specification	51
201	规划	guīhuà	V	to plan	63
202	规模	guīmó	N	scale, scope	82
203	规则	guīzé	N	rule	52
204	国籍	guójí	N	nationality	63
205	国内外	guónèi-wài		home and abroad	82

206	国学	guóxué	N	sinology, studies of traditional Chinese culture	92
207	国有企业	guóyǒu qǐyè		state-owned company	61
208	过错	guòcuò	N	fault	41
209	过分	guòfèn	Adj	excessive	61
H					
210	哈哈	hāhā	Int	*the sound of laughter*	81
211	还是	háishi	Adv	still	21
212	海外	hǎiwài	N	overseas, abroad	71
213	海运	hǎiyùn	V	ocean shipping	31
214	函	hán	N	letter	51
215	行业	hángyè	N	industry	91
216	好好儿	hǎohāor	Adv	all out	82
217	好几	hǎojǐ	Nu	several	82
218	好运	hǎoyùn	N	good luck	61
219	号	hào	N	firm, trade	51
220	合格	hégé	Adj	up to standard	41
221	和气生财	héqi shēng cái		harmony brings wealth	42
222	互利	hùlì	V	mutual benefit	21
223	互联网	hùliánwǎng	N	(the) Internet	63
224	化	huà	Suf	*a suffix*	82
225	还盘	huánpán	N	counter offer	22
226	环节	huánjié	N	link	42
227	回样	huíyàng	N	counter sample	22
228	汇报	huìbào	V	to report	81
229	汇票	huìpiào	N	draft	32
230	会议室	huìyìshì	N	conference room	12
231	货比三家	huò bǐ sān jiā		to shop around	22

232	货币	huòbì	N	currency	32
233	货物	huòwù	N	goods	31
234	货物备妥通知	huòwù bèituǒ tōngzhī		notice of readiness for goods	31
J					
235	机构	jīgòu	N	organization	52
236	积极	jījí	Adj	active	42
237	积累	jīlěi	V	to accumulate, to gain	71
238	基本	jīběn	Adj	basic	71
239	基层	jīcéng	N	grass roots	71
240	及	jí	Conj	and	41
241	级	jí	N	level	63
242	即	jí	Adv	then, accordingly	52
243	即期	jíqī	Adj	immediate	31
244	集团	jítuán	N	group	63
245	计算	jìsuàn	V	to count	51
246	纪律性	jìlǜxìng	N	discipline	92
247	技巧	jìqiǎo	N	skill	21
248	既然	jìrán	Conj	since	41
249	继续	jìxù	V	to continue	52
250	加班	jiā bān	V//O	to work overtime	92
251	加工	jiāgōng	V	to process	12
252	加工业	jiāgōngyè	N	processing industry	12
253	茄克	jiākè	N	jacket	22
254	家族企业	jiāzú qǐyè		family business	92
255	坚持	jiānchí	V	to adhere to	21
256	兼顾	jiāngù	V	to take account of two or more things	91

257	检测	jiǎncè	V	to inspect	41
258	检验	jiǎnyàn	V	to examine, to inspect	41
259	减少	jiǎnshǎo	V	to decrease, to reduce	81
260	简单	jiǎndān	Adj	simple, not complicated	11
261	简介	jiǎnjiè	N	brief introduction	11
262	简历	jiǎnlì	N	resume	61
263	见机行事	jiànjī xíngshì		to act according to the circumstances	21
264	鉴定书	jiàndìngshū	N	surveyor's report, expertise report	52
265	讲究	jiǎngjiu	V	to be particular about, to pay special attention to	42
266	讲求	jiǎngqiú	V	to be particular about, to pay attention to	82
267	降低	jiàngdī	V	to reduce, to lower	41
268	交货	jiāo huò	V O	to deliver goods	22
269	交往	jiāowǎng	V	to contact	63
270	焦点	jiāodiǎn	N	focus	21
271	较	jiào	Prep	than	51
272	教育	jiàoyù	N	education	63
273	接洽	jiēqià	V	to contact	21
274	接受	jiēshòu	V	to accept	22
275	结构	jiégòu	N	structure	81
276	结果	jiéguǒ	N	result	22
277	结合	jiéhé	V	to combine, to integrate	91
278	结婚	jié hūn	V//O	to marry, to get married	81
279	结算	jiésuàn	V	to settle an account	31
280	解决	jiějué	V	to resolve	42
281	介绍	jièshào	V	to introduce	11
282	金额	jīn'é	N	amount of money	32
283	尽量	jǐnliàng	Adv	as … as possible	61

284	进口国	jìnkǒuguó	N	importing country	42
285	进取心	jìnqǔxīn	N	aggressiveness	92
286	经济学	jīngjìxué	N	economics	61
287	经理人	jīnglǐrén	N	manager	71
288	经历	jīnglì	N	experience	63
289	经验	jīngyàn	N	experience	12
290	经营	jīngyíng	V	to run, to manage, to operate	91
291	精简	jīngjiǎn	V	to downsize, to simplify	81
292	精神	jīngshén	N	spirit	42
293	净重	jìngzhòng	N	net weight	32
294	竞争	jìngzhēng	V	to compete	72
295	竞争力	jìngzhēnglì	N	competitiveness	91
296	纠纷	jiūfēn	N	dispute	42
297	就是	jiùshì	Adv	just, only	41
298	就业	jiù yè	V//O	to get employed	61
299	居住	jūzhù	V	to live, to reside	63
300	居住地	jūzhùdì	N	residence	63
301	拒绝	jùjué	V	to refuse, to reject	41
302	具备	jùbèi	V	to have, to be equipped with	12
303	具体	jùtǐ	Adj	detailed, specific	21
304	具有	jùyǒu	V	to possess, to have	52
305	捐助	juānzhù	V	to donate	82
306	决定	juédìng	V	to decide	41
307	均	jūn	Adv	all	52
308	君子爱财，取之有道	jūnzǐ ài cái, qǔ zhī yǒu dào		a virtuous man loves money as much as anybody else, but he gets his share in a righteous way	92
K					
309	开发	kāifā	V	to develop	63

310	开朗	kāilǎng	Adj	cheerful, optimistic	63
311	开立	kāilì	V	to issue	32
312	开拓	kāituò	V	to develop, to expand	62
313	开证	kāi zhèng	V O	to open L/C (letter of credit)	31
314	开证行	kāizhèngháng	N	opening bank	32
315	看来	kànlái	V	it seems	42
316	抗拒	kàngjù	V	to resist	52
317	考虑	kǎolǜ	V	to consider	42
318	可惜	kěxī	Adj	what a pity	72
319	客气	kèqi	Adj	polite	41
320	肯定	kěndìng	Adv	definitely, undoubtedly	81
321	恐怕	kǒngpà	Adv	for fear of	22
322	空白	kòngbái	Adj	blank	32
323	口	kǒu	M	*a measure word*	42
324	口岸	kǒu'àn	N	port	52
325	口才	kǒucái	N	eloquence	21
326	扣眼	kòuyǎn	N	buttonhole	41
327	夸奖	kuājiǎng	V	to commend, to praise, to compliment	21
328	跨国公司	kuàguó-gōngsī		multinational company	91
L					
329	来料	láiliào	N	supplied material	12
330	来样加工	láiyàng jiāgōng		processing with supplied samples	22
331	牢固	láogù	Adj	firm	41
332	老	lǎo	Pref	*a prefix*	81
333	类	lèi	N	type, kind	61
334	类型	lèixíng	N	type	32
335	离岸价	lí'ànjià	N	FOB (Free on Board)	22
336	礼貌	lǐmào	Adj	polite	61

337	理念	lǐniàn	N	concept, idea	82
338	理想	lǐxiǎng	Adj	ideal	61
339	立即	lìjí	Adv	immediately	52
340	利用	lìyòng	V	to use	63
341	利于	lìyú	V	to be good to	22
342	俩	liǎ	Q	two	61
343	良好	liánghǎo	Adj	good	62
344	了解	liǎojiě	V	to know, to understand	21
345	劣势	lièshì	N	disadvantage	92
346	领先	lǐngxiān	V	to take the lead	22
347	另	lìng	Adv	another, other	52
348	留	liú	V	to stay	82
349	留存	liúcún	V	to reserve	41
350	流畅	liúchàng	Adj	fluent	63
351	流程	liúchéng	N	procedure	81
352	流利	liúlì	Adj	fluent	72
353	录用	lùyòng	V	to employ	61
354	录用通知书	lùyòng tōngzhīshū		offer	61
355	履行	lǚxíng	V	to fulfil	42
M					
356	卖方	màifāng	N	seller	42
357	唛头	màitóu	N	shipping mark, mark	51
358	满意	mǎnyì	V	to satisfy	21
359	毛净重	máo-jìngzhòng		gross and net weight	32
360	毛重	máozhòng	N	gross weight	32
361	媒体	méitǐ	N	media	91
362	美元	měiyuán	N	US dollar	22

363	面对面	miàn duì miàn		face-to-face	61
364	面试	miànshì	V	to interview	61
365	面议	miànyì	V	to discuss personally	62
366	民营企业	mínyíng qǐyè		privately-owned company	92
367	民族	mínzú	N	ethnicity, ethnic group	92
368	明白	míngbai	V	to understand	21
369	模式	móshì	N	mode, pattern	91
370	母语	mǔyǔ	N	mother tongue	72
371	目标	mùbiāo	N	aim, objective	61
372	目的	mùdì	N	end, place to be reached	52
N					
373	哪些	nǎxiē	Pr	which	61
374	男式	nánshì	Adj	men's	32
375	难得	nándé	Adj	rare, hard to get	72
376	内	nèi	N	within	21
377	内行	nèiháng	Adj / N	knowledgeable about or experienced in an issue or certain work; expert	12
378	能力	nénglì	N	ability	22
379	年初	niánchū	N	beginning of the year	12
380	年龄	niánlíng	N	age	62
381	凝聚力	níngjùlì	N	cohension	92
382	浓	nóng	Adj	heavy, strong	92
383	女朋友	nǚpéngyou	N	girlfriend	81
384	女人	nǚrén	N	woman	81
P					
385	陪	péi	V	to accompany	11
386	培训	péixùn	V	to train	71

387	赔偿	péicháng	V	to compensate	41
388	批	pī	M	*a measure word for a large amount of goods*	12
389	品名	pǐnmíng	N	name of an article	52
390	品牌	pǐnpái	N	brand	63
391	品位	pǐnwèi	N	taste	91
392	品质	pǐnzhì	N	quality	42
393	评价	píngjià	V	to evaluate	63
394	评语	píngyǔ	N	comment	72
395	凭	píng	Prep	by, by means of	52
396	凭证	píngzhèng	N	certificate	52

Q

397	期间	qījiān	N	time, period	71
398	期限	qīxiàn	N	time limit	52
399	齐全	qíquán	Adj	complete	31
400	其他	qítā	Pr	other	72
401	企划	qǐhuà	V	to plan (for projects of a company)	82
402	企业家	qǐyèjiā	N	entrepreneur	92
403	启事	qǐshì	N	notice	61
404	恰到好处	qià dào hǎo chù		to the nicety	21
405	谦虚	qiānxū	Adj	modest	61
406	签发	qiānfā	V	to issue	32
407	潜在	qiánzài	Adj	potential	63
408	强	qiáng	Adj	strong	62
409	强调	qiángdiào	V	to emphasize	92
410	强势	qiángshì	N	strength	72
411	且	qiě	Conj	and	32
412	勤奋	qínfèn	Adj	diligent	62

413	清洁	qīngjié	Adj	clean	32
414	情况	qíngkuàng	N	situation, circumstance	32
415	请教	qǐngjiào	V	to consult	61
416	求职	qiúzhí	V	to apply for a job	61
417	渠道	qúdào	N	channel	63
418	取胜	qǔshèng	V	to win	92
419	取消	qǔxiāo	V	to cancel	52
420	全部	quánbù	N	whole, total	51
421	全面	quánmiàn	Adj	overall, comprehensive	11
422	全球化	quánqiúhuà	V	to globalize	91
423	确认	quèrèn	V	to confirm	22
424	确实	quèshí	Adv	indeed	61
R					
425	染色	rǎnsè	V	to dye	41
426	让步	ràng bù	V//O	to give in, to make a concession	21
427	热情	rèqíng	Adj	passionate	63
428	人才	réncái	N	talent, person with ability	72
429	人际关系	rénjì guānxi		interpersonal relationship	92
430	人力	rénlì	N	manpower	52
431	人无信不立	rén wú xìn bú lì		if people have no faith in a person, there is no standing for this person	92
432	人性化	rénxìnghuà	V	humanity	82
433	任人唯亲	rèn rén wéi qīn		to appoint people according to the principles of cronyism	92
434	任务	rènwu	N	task	21
435	日期	rìqī	N	date	31
436	儒家	Rújiā	N	Confucian school	92
437	儒商	rúshāng	N	Confucian merchant, Confucian businessman	82

438	软件	ruǎnjiàn	N	software	63
S					
439	善于	shànyú	V	to be good at	63
440	商场	shāngchǎng	N	business world	92
441	商号	shānghào	N	firm, trade	51
442	商人	shāngrén	N	merchant, businessman	82
443	商学院	shāngxuéyuàn	N	business school	21
444	商业	shāngyè	N	commerce	31
445	上市	shàng shì	V//O	to become listed on the stock market	92
446	上述	shàngshù	Adj	above-mentioned	52
447	设备	shèbèi	N	equipment	12
448	设计	shèjì	V / N	to design; design	12
449	社会	shèhuì	N	society	82
450	申请人	shēnqǐngrén	N	applicant	32
451	什么的	shénmede	Pt	and so on	82
452	生产线	shēngchǎnxiàn	N	production line	12
453	生存	shēngcún	V	to survive	22
454	胜任	shèngrèn	V	to be competent for	72
455	失礼	shīlǐ	V	to be impolite	21
456	时候	shíhou	N	time, moment	21
457	实际上	shíjìshang	Adv	in fact	31
458	实力	shílì	N	strength	12
459	实盘	shípán	N	firm offer	22
460	实习	shíxí	V	to practice (what has been taught in class)	62
461	实习生	shíxíshēng	N	intern	81
462	实行	shíxíng	V	to put into practice	81

463	使用	shǐyòng	V	to use	63
464	世界	shìjiè	N	world	12
465	事故	shìgù	N	accident	52
466	事业	shìyè	N	undertaking, cause	92
467	事业部	shìyèbù	N	division, department	81
468	收获	shōuhuò	N	gain	11
469	收集	shōují	V	to collect	21
470	手续费	shǒuxùfèi	N	handling charge	31
471	守	shǒu	V	to observe, to keep	31
472	首先	shǒuxiān	Conj	firstly, first of all	11
473	受益人	shòuyìrén	N	beneficiary	32
474	熟练	shúliàn	Adj	proficient	63
475	树立	shùlì	V	to set up, to build	92
476	恕	shù	V	to forgive	22
477	恕我直言	shù wǒ zhíyán		pardon me for being so frank	22
478	数量	shùliàng	N	quantity, amount	32
479	双方	shuāngfāng	N	both sides	22
480	顺利	shùnlì	Adj	smooth, without a hitch	11
481	硕士	shuòshì	N	master	63
482	私营企业	sīyíng qǐyè		private company	61
483	思想	sīxiǎng	N	thought, ideology	92
484	四处	sìchù	N	all around	11
485	诉讼	sùsòng	V	to file a lawsuit	42
486	素质	sùzhì	N	quality	72
487	随着	suízhe	Prep	with	31
488	损失	sǔnshī	N	loss	41
489	所	suǒ	Pt	*used before a verb in a subject-predicate structure as a passive marker*	51

490	索赔	suǒpéi	V	to claim	41
T					
491	踏实	tāshi	Adj	dependable	63
492	抬头	táitóu	N	space on receipts, bills, etc. for names of the payee or buyer, etc.	32
493	谈判	tánpàn	V	to negotiate	21
494	趟	tàng	M	*a measure word for actions*	11
495	讨论	tǎolùn	V	to discuss	61
496	特长	tècháng	N	speciality, strong point	63
497	特色	tèsè	N	characteristic, feature	82
498	提出	tíchū	V	to put forward	41
499	提单	tídān	N	bill of lading	31
500	提高	tígāo	V	to improve	12
501	提供	tígōng	V	to provide	12
502	提前	tíqián	V	to advance	22
503	提升	tíshēng	V	to promote	82
504	条款	tiáokuǎn	N	clause, provision, article	31
505	调解	tiáojiě	V	to mediate	42
506	调整	tiáozhěng	V	to adjust	81
507	同病相怜	tóng bìng xiāng lián		fellow sufferers have mutual sympathy	81
508	同等	tóngděng	Adj	equal, as much	52
509	同情	tóngqíng	V	to sympathize	81
510	同时	tóngshí	Conj	at the same time	91
511	同意	tóngyì	V	to agree	52
512	头疼	tóuténg	Adj	headache	42
513	投	tóu	V	to send	61
514	投保	tóu bǎo	V//O	to buy insurance	52

515	投放	tóufàng	V	to put (goods) on the market	91
516	突出	tūchū	V	to highlight	21
517	团队	tuánduì	N	team	61
518	推迟	tuīchí	V	to postpone	31
519	推广	tuīguǎng	V	to promote	63
520	褪色	tuì shǎi	V//O	to fade	41
W					
521	歪斜	wāixié	Adj	crooked	41
522	外地	wàidì	N	other places	63
523	外国	wàiguó	N	foreign country	71
524	外语	wàiyǔ	N	foreign language	63
525	外资企业	wàizī qǐyè		foreign company	61
526	违约	wéi yuē	V//O	to breach a contract	42
527	委托	wěituō	V	to entrust	91
528	为	wèi	Prep	for	11
529	为了	wèile	Prep	in order to, for the purpose of	12
530	味道	wèidao	N	flavor, taste	91
531	文本	wénběn	N	text	31
532	文化	wénhuà	N	culture	71
533	文件	wénjiàn	N	document	52
534	问题	wèntí	N	issue, problem	21
535	无	wú	V	not have	32
536	无论……，都……	wúlùn……，dōu……		no matter	61
537	无须	wúxū	Adv	unnecessarily	52
538	务必	wùbì	Adv	must	31
X					
539	西装	xīzhuāng	N	(Western style) clothes, suit	12

540	习惯	xíguàn	N	habit	91
541	喜好	xǐhào	V	to like	91
542	下课	xià kè	V//O	to dismiss a class	81
543	下列	xiàliè	Adj	the following	51
544	下面	xiàmiàn	N	next	11
545	先进	xiānjìn	Adj	sophisticated or advanced (technology)	12
546	显得	xiǎnde	V	to look like	91
547	显示	xiǎnshì	V	to demonstrate	21
548	限	xiàn	V	to restrict	62
549	相符	xiāng fú		in conformity with (something)	51
550	相关	xiāngguān	V	to be related	41
551	像	xiàng	V	to be like	82
552	消费者	xiāofèizhě	N	consumer	91
553	销售	xiāoshòu	V	to sell	11
554	小学	xiǎoxué	N	primary school	82
555	小组	xiǎozǔ	N	group	61
556	效果	xiàoguǒ	N	effect	61
557	效率	xiàolǜ	N	efficiency	12
558	歇	xiē	V	to have a break	22
559	协商	xiéshāng	V	to negotiate	42
560	协调	xiétiáo	V	to coordinate	72
561	心理	xīnlǐ	N	psychology	91
562	新鲜	xīnxiān	Adj	new, fresh	71
563	信箱	xìnxiāng	N	mailbox	32
564	信用	xìnyòng	N	credit	31
565	信用证	xìnyòngzhèng	N	L/C (letter of credit)	31
566	形象	xíngxiàng	N	image	92
567	兴趣	xìngqù	N	interest	71

568	性别	xìngbié	N	gender	63
569	性格	xìnggé	N	character, personality	63
570	姓名	xìngmíng	N	name	63
571	须	xū	V	must, to have to	51
572	需求	xūqiú	N	need	91
573	许可	xǔkě	V	to permit	51
574	宣传	xuānchuán	V	to propagate, to publicize	63
575	学历	xuélì	N	education background	62
Y					
576	押金	yājīn	N	deposit	31
577	延	yán	V	to delay	51
578	研发	yánfā	V	R&D (research and development)	81
579	研究生	yánjiūshēng	N	postgraduate	62
580	样品	yàngpǐn	N	sample	12
581	样式	yàngshì	N	style	12
582	依	yī	V	to be based on	51
583	依据	yījù	N	basis, foundation	51
584	一定	yídìng	Adj	certain	12
585	一切	yíqiè	Pr	all, every	52
586	一味	yíwèi	Adv	blindly	21
587	一致	yízhì	Adj	unanimous	22
588	遗憾	yíhàn	Adj	sorry	41
589	疑问	yíwèn	N	query, question	11
590	已	yǐ	Adv	already	32
591	以上	yǐshàng	N	more than	62
592	以……为……	yǐ……wéi……		subject to	51

593	一方面……,另一方面……	yì fāngmiàn……, lìng yì fāngmiàn……		on the one hand… on the other hand	71
594	议付	yìfù	V	to negotiate	32
595	异议	yìyì	N	discrepancy	52
596	意识	yìshi	N	sense, awareness	72
597	意向	yìxiàng	N	intent	21
598	溢短装	yì-duǎnzhuāng		more or less	51
599	因此	yīncǐ	Conj	so, therefore	41
600	饮食	yǐnshí	N	diet	91
601	印象	yìnxiàng	N	impression	72
602	营销	yíngxiāo	V	to sell	72
603	赢	yíng	V	to win	82
604	应变	yìngbiàn	V	to cope with change	72
605	应聘	yìngpìn	V	to apply	61
606	应聘者	yìngpìnzhě	N	applicant, candidate	61
607	用人	yòng rén	V//O	to choose a person for a job	92
608	优	yōu	Adj	excellent	63
609	优化	yōuhuà	V	to optimize	81
610	优越感	yōuyuègǎn	N	sense of superiority	92
611	油条	yóutiáo	N	deep-fried dough stick	91
612	友好	yǒuhǎo	Adj	friendly	52
613	有权	yǒu quán	V O	to be entitled (to do sth.), to have the right (to do sth.)	52
614	有效	yǒuxiào	V	to be valid, to be effective	32
615	有效期	yǒuxiàoqī	N	date of expiry	32
616	有意者	yǒuyìzhě	N	interested applicant	62
617	有用	yǒuyòng	Adj	useful	92
618	于	yú	Prep	from	21

619	与	yǔ	Prep	with	51
620	予	yǔ		to give	51
621	语气	yǔqì	N	tone	41
622	语言	yǔyán	N	language	63
623	预算	yùsuàn	N	budget	63
624	遇到	yùdào	V	to encounter	61
625	原产地证	yuánchǎndìzhèng	N	certificate of origin	31
626	原因	yuányīn	N	reason	42
627	原则	yuánzé	N	principle	21
628	远期	yuǎn qī		at a specified future date	31
629	远期信用证	yuǎnqī xìnyòngzhèng		usance L/C	31
630	约定	yuēdìng	V	to appoint	41
631	约束力	yuēshùlì	N	binding force	52
632	月饼	yuèbing	N	moon cake	91
633	月薪	yuèxīn	N	salary	63
634	允许	yǔnxǔ	V	to allow	32
635	运动装	yùndòngzhuāng	N	sportswear	12
636	运费	yùnfèi	N	freight	32
637	运用	yùnyòng	V	to use	92
Z					
638	再说	zàishuō	V	to put off until some time later	61
639	载运	zàiyùn	V	to carry, to transport	52
640	早餐	zǎocān	N	breakfast	91
641	则	zé	Conj	then	52
642	则	zé	M	*a measure word*	62
643	责任	zérèn	N	responsibility	52
644	责任心	zérènxīn	N	sense of responsibility	62

645	增多	zēngduō	V	to increase	42
646	增进	zēngjìn	V	to enhance	71
647	展示	zhǎnshì	V	to showcase	61
648	展示室	zhǎnshìshì	N	showroom	12
649	占用	zhànyòng	V	to take up	31
650	战场	zhànchǎng	N	battlefield	92
651	涨	zhǎng	V	to rise, to increase	22
652	掌握	zhǎngwò	V	to get hold of	21
653	招	zhāo	V	to recruit	61
654	招聘	zhāopìn	V	to recruit	61
655	找准	zhǎozhǔn	V	to find, to pinpoint	61
656	者	zhě	Pt	those who	51
657	这些	zhèxiē	Pr	these	11
658	针对性	zhēnduìxìng	N	pertinence	61
659	争取	zhēngqǔ	V	to endeavour	82
660	争议	zhēngyì	N	dispute	42
661	争执	zhēngzhí	V	to dispute	52
662	整	zhěng	Adj	full	32
663	正本	zhèngběn	N	original	52
664	正常	zhèngcháng	Adj	normal	42
665	证明	zhèngmíng	N	certificate	32
666	证书	zhèngshū	N	certificate	51
667	之	zhī	Pt	*used between an attribute and the word it modifies to indicate that one thing belongs to another*	51
668	之间	zhījiān	N	between, among	63
669	之前	zhīqián	N	before	71
670	之一	zhī yī		one of	92
671	知己知彼	zhī jǐ zhī bǐ		to know both oneself and one's adversary	21

672	知名	zhīmíng	Adj	famous	82
673	执行	zhíxíng	V	to carry out	52
674	直言	zhíyán	V	to speak frankly	22
675	职位	zhíwèi	N	post, position	62
676	指导	zhǐdǎo	V	to guide, to instruct	92
677	指定	zhǐdìng	V	to appoint, to authorize	32
678	至	zhì	V	to, until	51
679	制订	zhìdìng	V	to make, to formulate	63
680	制度	zhìdù	N	system	81
681	质检	zhìjiǎn	N	quality testing	31
682	智慧	zhìhuì	N	wisdom	92
683	中心	zhōngxīn	N	center	91
684	中资	zhōngzī	N	Chinese fund	91
685	忠诚度	zhōngchéngdù	N	the degree of loyalty	92
686	终局	zhōngjú	N	end, outcome	52
687	仲裁	zhòngcái	V	to arbitrate	42
688	重	zhòng	Adj	heavy	81
689	重量	zhòngliàng	N	weight	32
690	重量单	zhòngliàngdān	N	weight memo	32
691	重视	zhòngshì	V	to attach importance to	91
692	重要	zhòngyào	Adj	important	21
693	粥	zhōu	N	porridge	91
694	诸位	zhūwèi	Pr	everyone	11
695	主要	zhǔyào	Adj	main	12
696	助理	zhùlǐ	N	assistant	82
697	注明	zhùmíng	V	to mark	32
698	抓紧	zhuājǐn	V	to lose no time, to act promptly	31
699	转船	zhuǎn chuán	V O	to transfer to another ship	52

700	转让	zhuǎnràng	V	to transfer	52
701	转运	zhuǎnyùn	V	to tranship	32
702	装船	zhuāng chuán	V O	to ship, to lade	32
703	装船期	zhuāngchuánqī	N	date of shipment	32
704	装箱单	zhuāngxiāngdān	N	packing list	32
705	装运	zhuāngyùn	V	to load and transport	31
706	准时	zhǔnshí	Adj	on time	61
707	兹	zī		hereby	51
708	资金	zījīn	N	fund, capital	31
709	资信	zīxìn	N	credit standing	31
710	自我	zìwǒ	Pr	oneself	63
711	自信	zìxìn	Adj	confident	61
712	综合	zōnghé	V	to be comprehensive	22
713	总裁	zǒngcái	N	president	82
714	总监	zǒngjiān	N	superintendent	63
715	总值	zǒngzhí	N	total value	51
716	组成	zǔchéng	V	to form, to compose	81
717	组织	zǔzhī	V/ N	to organize; organization	63
718	作为	zuòwéi	V	to take as	51
719	做工	zuògōng	N	craftsmanship	22

专有名词
Proper Nouns

B				
1	巴西	Bāxī	Brazil	12
2	宝洁	Bǎojié	P&G, a multinational corporation that features a wide range of consumer goods	91
C				
3	朝阳区	Cháoyáng Qū	a district of Beijing, home to the majority of foreign embassies in Beijing and the well-known Sanlitun Bar Street is located there	63
F				
4	法国圣兰服装公司	Fǎguó Shènglán Fúzhuāng Gōngsī	France Shenglan Garment Co. Ltd.	11
H				
5	韩国	Hánguó	the Republic of Korea	92
6	华美服装加工厂	Huáměi Fúzhuāng Jiāgōngchǎng	Huamei Garment Processing Factory	11
7	汇宾公寓	Huìbīn Gōngyù	Huibin Apartment	63
8	惠新东街	Huìxīn Dōngjiē	name of a street in Beijing	63
J				
9	京津高速	Jīng-Jīn Gāosù	Beijing-Tianjin Expressway	11

K				
10	肯德基	Kěndéjī	KFC, a chain restaurant serving fast food	91
M				
11	慕尼黑大学	Mùníhēi Dàxué	University of Munich	63
O				
12	欧盟	Ōuméng	European Union	71
Q				
13	青岛	Qīngdǎo	a major city in eastern Shandong Province of China	32
R				
14	日本	Rìběn	Japan	92
S				
15	沈兴	Shěn Xīng	name of a Chinese person	11
16	《孙子兵法》	《Sūnzǐ Bīngfǎ》	*Master Sun's Art of War*	92
17	索尼	Suǒní	Sony, a Japanese multinational conglomerate corporatoin	91
T				
18	天津	Tiānjīn	Tianjin, a metropolis in North China and close to Beijing	11
19	天津经济技术开发区	Tiānjīn Jīngjì Jìshù Kāifāqū	Tianjin Economic and Technological Development Zone	11
20	天津商品检验局	Tiānjīn Shāngpǐn Jiǎnyànjú	Tianjin Commodity Inspection Bureau	51

X				
21	西班牙	Xībānyá	Spain	32
22	西门子	Xīménzǐ	Siemens, a German large multinational conglomerate in Europe	82
23	希腊	Xīlà	Greece	12
24	希望集团	Xīwàng Jítuán	name of a company	92
25	希望小学	Xīwàng Xiǎoxué	Hope Primary School	92
26	星巴克	Xīngbākè	Starbucks, the largest coffeehouse company in the world	91
Y				
27	亚洲	Yàzhōu	Asia	92
Z				
28	赵伟	Zhào Wěi	name of a Chinese person	11
29	中国国际贸易促进委员会	Zhōngguó Guójì Màoyì Cùjìn Wěiyuánhuì	China Council for the Promotion of International Trade	52
30	中国商品检验局	Zhōngguó Shāngpǐn Jiǎnyànjú	China Commodity Inspection Bureau	52
31	中石化	Zhōng Shí Huà	Sinopec, one of the major petroleum companies in China	82